Langues pour tous
Collection dirigée par
Jean-Pierre Berman, Michel Marcheteau et Michel Savio

L[illegible]inois tout de suite !

par

Michel Désirat
Maître de Conférences
Institut des Langues et Civilisations Orientales

2e édition revue et corrigée

"It's language, Captain, but not as we know it."
D'après le Dr Mc Coy, Star Trek

1 version sonore (non vendue séparément)
est disponible en coffret (1 livre + 1 K7

Sommaire

Partie A

■ Présentation 4

A1 *Je suis... - je ne suis pas*
ouŏ ch.\` - ouŏ póu ch.\` 6
A2 *J'ai... - ils n'ont pas... - avez-vous... ?*
ouó iŏou - t'ā-menn mĕï iŏou - nínn iŏou...ma ? 10
A3 *Y a-t-il... ? - il y a... - il n'y a pas*
iŏou mĕï iŏou -iŏou...mĕï iŏou... ? 14
A4 *Où est/sont.. ? - A quel endroit est/sont... ?*
tsàï năr ? - tsàï năli ? - tsàï chém-me tì-fāng ? 18
A5 *Où vas-tu ? - d'où viens-tu ?*
nĭ tào năr tj'ù ? - nĭ ts'óng năr láï ? 22
A6 *je veux - j'ai envie de...- voulez-vous ?*
ouŏ iào - ouŏ hsiăng - nĭ iào...ma ? 26
A7 *combien ?*
touō-chăo ? 30
A8 *quand... ?- à quelle heure ?*
chém-me ch.´-hoou ? - tjí tiĕnn ? 34
A9 *j'aime - je n'aime pas.*
ouó hsĭ-houānn - ouŏ pòu hsĭ-houānn 38
A10 *j'ai, je suis... - je n'ai pas, ne suis pas...*
ouŏ...le - ouŏ pòu 42
A11 *comment ?*
tsĕm-me ? - tsĕm-me-iàng ? 46
A12 *qui - quoi*
chĕï - chém-me 50
A13 *pourquoi*
ouèï-chém-me 54
A14 *pouvoir -savoir*
k'é-ĭ - houèï 68
A15 *hier - aujourd'hui - demain*
tsouó-t'iēnn - tjīnn-t'iēnn - míng-t'iēnn 62
A16 *combien de fois - déjà - jamais*
tjĭ ts'.\` - kouo - mĕï iŏou...kouo 66
A17 *falloir - devoir*
īng-kāï - pì-hsū - póu iào 70
A18 *plus que... - moins que... - autant que...*
pĭ - mĕï iŏou - í-iàng 74
A19 *je vous conseille... - je pense que - allons... - à mon avis*
ouŏ tjiènn-ì nĭ - ouŏ hsiăng - ouŏ k'ànn 78
A20 *politesses*
k'è-tj'ì houà 82

Sommaire

Partie B

B1 *voyager (1)*
lŭ-hsíng 86

B2 *voyager (2) - banque*
lŭ-hsíng. - ínn-háng 88

B3 *à l'hôtel*
tsàï lú-kouănn 90

B4 *au restaurant (1)*
tsàï fànn-tiènn li 92

B5 *au restaurant (2).*
tsàï fànn-tiènn li 94

B6 *au restaurant (3)*
tsàï fànn-tiènn li 96

B7 *la nature*
tà ts.`-jánn 98

B8 *activités - sport*
houó-tòng - iùnn-tòng 100

B9 *en ville*
tsàï tch'éng li 102

B10 *le tourisme*
lŭ-ióou 104

B11 *le climat*
tj'ì-hoou 106

B12 *téléphone*
tă tiènn-houà 108

B13 *à la poste*
tsàï ióou-tjú 110

B14 *la maison*
fáng-ts 112

B15 *vêtements*
ī-fou 114

B16 *faire les courses*
măï tōng-hsi 116

B17 *corps, santé.......*
chēnn-tĭ, tjiènn-k'āng 118

B18 *école, travail*
hsué-hsiào, kōng-tsouò 120

B19 *la famille*
tjiā-t'ing 122

B20 *presse, radio, télé*
pào-tch.˘, kuăng-pō tiènn-t'áï, tiènn-ch` 124

- Lexique français-chinois 126
- Lexique chinois-français 141
- Index grammatical et thématique 157
- Transcription **pinyin** 160

PRÉSENTATION

Cet ouvrage ne nécessite aucune connaissance grammaticale préalable. Il est destiné à tous ceux qui, pour une raison ou pour une autre, n'ont pas le temps de se consacrer à un apprentissage systématique du chinois. Il est donc conçu pour les aider à exprimer un certain nombre de messages simples et pratiques. Pour ce faire, votre manuel part de formules et d'expressions en français, dont il vous fournit l'équivalent en chinois. Ainsi, dès la première leçon, vous serez TOUT DE SUITE opérationnel.

Le *chinois tout de suite !* comporte deux parties :

Partie A

• 20 unités de 4 pages, construites autour de formules de grande fréquence *j'ai, je voudrais, combien ?, comment ?* suivies d'une liste de mots et d'expression les plus concrètes possibles. Des explications et remarques viennent s'y rajouter, renforcées par des exercices avec correction instantanée.

Partie B

• 20 unités de 2 pages, présentant le vocabulaire par centres d'intérêt (nourriture, maison, voyages, santé, etc.), accompagné d'exercices avec correction instantanée utilisant les formules et structures proposées dans la partie A.

• en fin de volume, un lexique de 1 400 mots environ peut être utilisé comme dictionnaire de poche dans les deux sens (chinois / français – français / chinois).

CONSEILS D'UTILISATION

Partie A : Vous pouvez soit l'étudier systématiquement pour vous initier aux structures les plus courantes du chinois, soit, en cas d'urgence, recourir directement à la structure dont vous avez besoin, par exemple A3 : *Y a-t-il..., Il y a...*, et la mettre tout de suite en application.

Partie B : vous pouvez soit étudier systématiquement les différents secteurs de vocabulaire qui vous sont proposés – fortement déconseillé et probablement impossible –, soit choisir le mot dont vous avez besoin TOUT DE SUITE.

ENREGISTREMENT

Une cassette d'environ une heure vous permet de vous familiariser avec la prononciation du chinois, en écoutant et en répétant les formules les plus utiles.

Note sur la transcription

La transcription officielle en République Populaire de Chine est le **pinyin** qui signifie *épeler*.
Nous n'avons pas utilisé cette transcription dans cet ouvrage car elle est impropre à rendre les sons du chinois pour un francophone sans un long apprentissage, et ne permet donc pas de prononcer le chinois, même approximativement. Par exemple, le nom du célèbre paysage de **Guilin** (en **pinyin**) se transcrira ici **Kouèï-linn**, bien plus proche de la phonétique chinoise que l'horrible -et incompréhensible- prononciation : *guy-lin*.
Néanmoins, comme le **pinyin** est utilisé dans l'enseignement pour les étrangers dans le monde entier ainsi que dans les dictionnaires, nous avons inclus p.160 une table de correspondance entre notre transcription et celui-ci pour ceux qui voudraient aller plus loin.

Présentation succincte de la prononciation

Les voyelles et les consonnes qui ne figurent pas sur ce tableau ne présentent pas de difficulté particulière de prononciation.

p' l'apostrophe (') après les consonnes indique une forte expiration d'air les accompagnant.
tj consonne intermédiaire entre *ts* et *tch*
hs consonne intermédiaire entre *s* et *ch*
h fort raclement au niveau de la gorge (français *r* dans *acre*)
a toujours comme dans *patte*
e *eu* comme dans *meurt*. Avec d'autres voyelles (ou **-nn**) se prononce *è* comme dans *mène* ou *é* comme dans *pré* (**ue** prononcé *huée*). Voir p.160
o *o* comme dans *pot*
u *u* comme dans *rue*
ou *ou*
oou *o + ou*
ouo *ou + o*
ts. le point après les consonnes (.) indique un *e* très faible.
-nn indique que le son *n* se prononce en fin de syllabe.
-ng indique la nasalisation des voyelles. **ang** se prononce *an* comme dans *rang*
ouà les signes sur les voyelles n'indiquent pas un accent mais un ton. Voir A2, p. 10-11.

Si vous voulez acquérir en profondeur les éléments de base du chinois, la collection Langues pour Tous propose la méthode le **Chinois en 40 leçons** (voir catalogue Langues pour Tous).

A1 Je suis.../je ne suis pas

Je suis...

1. français(e).
2. pékinois(e).
3. professeur/enseignant(e).
4. monsieur Dupont.

Êtes-vous... ?

5. commerçant(e) ?
6. ingénieur ?
7. chauffeur de taxi ?

Il/elle n'est pas...

8. étranger(e).
9. un(e) employé(e) de l'entreprise.
10. médecin.
11. madame Li.
12. mademoiselle Wang.
13. étudiant(e).

Bonjour

14. Bonjour (singulier, politesse).
15. Bonjour (pluriel).
16. Bonsoir !
17. Au revoir.

■ **Prononciation** : transcription française (lire absolument p.5)

• le point après les consonnes (**ts.**) indique une voyelle très faible, entre *e* et *i* (essayer de dire *se* avec la bouche presque fermée).

• le redoublement du **n** à la fin des syllabes suggère que le **n** se prononce : **mann** se prononce comme *mann(e)* et non comme *ment*. N'ajoutez pas de *e* à la fin des syllabes.

• **ou** représente le son français *ou* comme dans *cou*.

• **u** note le son français *u* (comme dans *rue*).

• les signes sur les voyelles ne représentent pas les accents mais les *tons* (voir A2).

A1 ouŏ ch.` .../ouŏ póu ch.` ...

ouŏ ch.` ... 我是 /je/être/

1. Fă-kouó jénn 法国人 /France/personne
2. Pĕï-tjīng jénn 北京人 /Pékin/personne
3. lăo-ch.ˉ 老师
4. Tou-p'eng hsiēnn-cheng 杜朋先生 /Dupont/Monsieur

nĭ ch.` póu ch.` ... 你是不是 /je/être/ne pas/être

5. chāng-jénn 商人
6. kōng-tch'éng-ch.ˉ 工程师
7. tch'ōu-tsōu-tch'ē s.ˉ-tjī 出租车司机 /taxi/conducteur

t'ā póu ch.` ... 他／她不是 /il/elle/ne pas être...

8. ouàï-kouó-jénn 外国人 /étranger/personne
9. kōng-s.ˉ fóu-òu-iuánn 公司服务员 /entreprise/employé(e)
10. ī-chēng 医生
11. Lĭ t'àï-t'àï 李太太 /Li/madame
12. Ouáng hsiăo-tjie 王小姐 /Wang/demoiselle
13. hsué-cheng 学生

ní hăo ! 你好！ /tu/être bien

14. nínn hăo ma ? 您好吗？ /vous/être bien/est-ce que
15. nĭ-menn hăo ! 你们好！ /vous/être bien
16. ouănn-ānn 晚安！ /soir/paix
17. tsàï-tjiènn 再见！ /re-/voir

■ **Vocabulaire** : syllabe et mot
A chaque syllabe correspond une signification et un caractère écrit. Les mots de plusieurs syllabes sont donc quasiment tous des mots composés. Par exemple, **Tchōng-kouó** *Chine*, signifie "milieu+pays" = *pays du milieu.* ; **tch'ōu-tsōu-tch'ē** *taxi* signifie *véhicule* (**tch'ē**) de *location* (**tch'ōu-tsōu** /sortir/louer).

Les mots composés seront notés par un tiret entre les syllabes.

■ **L'ordre des mots** dans les mots composés comme **Tchōng-kouó-jénn :** *Chine + personne = personne de Chine, Chinois(e)* correspond à l'ordre grammatical chinois qui consiste à mettre les compléments du nom avant celui-ci.

Constructions & remarques

■ La grammaire du chinois paraît au premier abord plus simple que celle du français :

• les mots sont invariables quelle que soit leur classe grammaticale. Les noms n'ont ni genre (masculin/féminin), ni nombre (singulier/pluriel), ni article (*le, la, les, un, une, des*).

• les verbes ignorent les désinences des personnes, les modes et les temps. Le verbe **ch.`** , *être*, peut signifier *suis, est, étiez, seront*, etc.

■ **Pronoms personnels** :

• singulier :

ouǒ	*je*
nǐ	*tu*
t'ā	*il, elle*
nínn	*vous* (politesse)

Le chinois ne distingue pas - oralement - le masculin et le féminin de la troisième personne.

• le **pluriel** des pronoms se forme en ajoutant **menn** après les pronoms singuliers :

ouǒ-menn	*nous*
nǐ-menn	*vous*
t'ā-menn	*ils, elles*

• le **pronom** de politesse **nínn,** *vous* (singulier de politesse), n'a pas de forme du pluriel.

nínn, *vous*, s'emploie beaucoup moins que *vous* en français. **nǐ**, *tu*, peut également s'employer avec des personnes qu'on ne connaît pas, sauf si on veut marquer une déférence particulière. C'est pourquoi dans les leçons qui suivent, nous employons indifféremment **nǐ** et **nínn** pour le vouvoiement singulier.

■ Le verbe **ch.`** , *être*, marque l'identité ou l'état et est toujours suivi d'un nom :

ouǒ ch.` Tchōng-kouó jénn *Je suis Chinois.*
/je/être/Chine/personne/

• la négation de **ch.`** , *être*, est **póu ch.`** , *ne pas être* :

ouǒ póu ch.` Tchōng-kouó jénn *Je ne suis pas Chinois.*
/je/ne pas /être/Chine/personne

■ Pour exprimer ce qui correspond à *Bonjour* le chinois dira *est ce que tu vas bien ?* qui se dit à la seconde personne : **ní hǎo** /tu/être bien ou **ní hǎo ma ?** (/tu/être bien/est-ce que) ou **nínn hǎo** (forme polie).

A1 Entraînez-vous !

A Que veut dire en français ?

1. **ouŏ ch.` Fă-kouó-jénn**
2. **t'ā póu ch.` Ouáng t'àï-t'àï**
3. **t'ā-mènn ch.` kōng-tch'éng-ch.¯**
4. **nínn ch.` tch'ōu-tsōu-tch'ē s.¯-tjī**

B Comment dire en chinois ?

1. Mademoiselle Li n'est pas enseignante
2. Je ne suis pas employé du magasin
3. Madame Li n'est pas médecin
4. Tu es étudiant

SOLUTIONS

A

1. Je suis français
2. Ce n'est pas Madame Wang
3. Ils/elles sont ingénieurs
4. Vous êtes chauffeur de taxi

B

1. **Lĭ hsiăo-tjie póu ch.` lăo-ch.¯**
2. **ouŏ póu ch.` kōng-s.¯ fóu-òu-iuánn**
3. **Lĭ t'àï-t'aï póu ch.` ī-cheng**
4. **nĭ ch.` hsué-cheng**

• La langue présentée ici est la langue nationale ou **p'ŏu-t'ōng-houà**, langue officielle de la République populaire de Chine, basée sur la langue parlée dans le nord de la Chine, la prononciation étant celle de Pékin.
• Cette langue, appelée également *mandarin*, est la langue officielle de la République populaire de Chine et de Taiwan. En Chine, elle est parlée (avec des variantes) par 70% de la population.
• Par ailleurs, il existe en Chine de nombreux dialectes **fāng-iénn** (dont principalement le *cantonais* **Kouăng-tchōou houà**, le *shanghaïen* **Chàng-hăï houà**, et le *Min* **Mīnn fāng-iénn**, (parlé surtout dans la province du Fujian). Ces dialectes, tous d'origine commune, sont cependant aussi incompréhensibles les uns pour les autres que les diverses langues latines en Europe.
• En outre, la Chine a également de nombreuses langues d'origine non-chinoise comme le *tibétain*, le *mongol*, le *Ouighour* (parlé dans la province du Xinjiang **Hsīnn-tjiāng**) etc. parlées par environ 6% de la population totale.

J'ai...

J'ai...

1. du temps.
2. deux enfants.
3. une voiture étrangère.
4. un ami.
5. trois ami(e)s chinois(es).
6. une bonne idée.

Ils n'ont pas...

7. de travail.
8. de journaux en français.
9. de bicyclette.
10. d'argent chinois.
11. d'endroit où aller.

Avez-vous...(singulier de politesse) ?

12. un mode d'emploi en français ?
13. un guide **(personne) ?**
14. une chambre double ?
15. la monnaie ?
16. votre passeport ?

■ **Prononciation** : *les tons.*

Ce sont des changements de hauteur de la voix qui font partie des syllabes, au même titre que les voyelles et les consonnes, et qui différencient le sens des mots : **ouŏ iào nĭ** *je te veux* ne diffère de : **ouŏ iăo nĭ** *je te mords* que par le ton de la syllabe **iao** (prononcée : i+a+o).
C'est dire l'importance de prononcer (à peu près...) les tons.
• Il y a quatre tons en **p'ŏu-t'ōng-houà**, tous mélodiques, c'est-à-dire qui se différencient par la hauteur et la courbe, montante ou descendante de la voix.
Si vous trouvez qu'il est difficile de distinguer quatre tons, pensez qu'en cantonais il y en a neuf !
• Avec la cassette qui accompagne ce livre, vous pouvez vous familiariser avec les tons en essayant de reproduire les phrases complètes, en faisant attention à l'intonation générale de la phrase.

A2 ouó iǒou...

ouó iǒou... 我有 /je/avoir

1. ...k'òng 空
2. ...liǎng ke háï-ts. 两个孩子 /deux/unité/enfant
3. ...í liàng ouàï-kouó tj'ì-tch'ē 一辆外国汽车 /un/unité/étranger/voiture
4. ...í ke p'éng-iǒou 一个朋友 /un/unité/ami
5. ...sānn ke Tchōng-kouó p'éng-iǒou 三个中国朋友 /trois/unité/Chine/ami
6. ...í ke háo tchǒu-ì 一个好主意 /un/unité/bon/idée

t'ā-menn meï iǒou... 他们没有 /ils/ne pas avoir

7. ...kōng-tsouò 工作
8. ...Fǎ-ouénn pào-tch.ˇ 法文报纸 /langue française/journal
9. ...ts.ˋ-hsíng-tch'ē 自行车
10. ...jénn-mínn-pì 人民币 /peuple/monnaie
11. ...tì-fāng tj'ù 地方去 /endroit/aller

nínn iǒou... 您有 **...** /vous/avez/...est-ce que

12. Fǎ-ouénn chouō-míng chōu ma ? 法文说明书吗？ /langue française/expliquer/livre/est-ce que
13. tǎo-ióou ma ? 导游吗？ /guide/est-ce que
14. chouāng-jénn fáng-tjiēnn ma ? 双人房间吗？ /double/chambre/est-ce que
15. líng-tj'iénn ma ? 零钱吗？ /monnaie/est-ce que
16. hòu-tchào ma ? 护照吗？ /passeport/est-ce que

■ **Prononciation** : *les quatre tons.*

• le 1er ton (symbole ˉ) est haut et plat, comme une note "tenue", semblable à *oui* dans : *«ben oui, quoi !»* exprimant l'affirmation.
• le 2e ton (symbole ˊ) est haut et montant, comme l'into- nation de *il pleut ?* (interrogatif).
• le 3e ton (symbole ˇ) descend et remonte, comme dans *ah ! ah !* exprimant la surprise, mais sa caractéristique principale est d'être bas.
• le 4e ton (symbole ˋ) commence haut et descend bas, comme lorsqu'on dit *zut !* sous le coup de la colère.

• l'absence de symbole indique soit que le ton de la syllabe n'est pas prononcé soit qu'elle n'a pas de ton. (voir aussi A5)

A2 constructions & remarques

■ **iǒou** est le verbe *avoir* en chinois.

ouó iǒou k'òng *J'ai du temps libre* /je/avoir/temps libre

• la négation du verbe **iǒou**, *avoir*, est **mêï**, *ne pas (avoir)*, et jamais **pòu** (A1).
ouǒ-menn mêï iǒou tchǒu-ì *Nous n'avons pas d'idée*
/nous/ne pas avoir/idée

■ **ma**, est une particule interrogative qui se place en fin de phrase :

t'ā ch.` Tchōng-kouó jénn ma ? *Est-ce qu'il est chinois ?*
/il/être/Chinois/est-ce que
t'ā póu ch.` Tchōng-kouó jénn ma ? *N'est-il pas chinois ?*
/il/ne pas/être/Chinois/est-ce que

■ Il n'y a pas d'article (*le, la, les, du, des*) en chinois :

ní iǒou k'òng ma ? *As-tu du temps libre ?*
/tu/avoir/temps libre/est-ce que
On ne précise le nombre que si c'est utile.

■ Un chiffre ne peut directement précéder un nom en chinois. Celui-ci doit être précédé d'un mot appelé classificateur qui signifie *unité de* et sert à répartir le vocabulaire en catégories.
Chaque classificateur s'emploie avec une série de noms ayant entre eux un rapport de sens (plus ou moins lointain). Chaque nom a ainsi un classificateur qui lui est propre.

• **ke** est le classificateur le plus courant ; il est utilisé pour les humains, mais aussi pour beaucoup de mots courants sans rapport avec l'homme.
í ke jénn, *une personne* /un/unité/personne
liǎng ke Tchōng-kouó p'éng-iǒou *deux amis chinois*
/deux/unité/Chine/ami

• **liàng** est le classificateur des véhicules :
í liàng ts.`-hsíng-tch'ē** /un/unité/bicyclette (*véhicule :* **tch'ē**, qui *marche :* **hsíng**,, *seul :* **ts.`).

Il existe une quarantaine de classificateurs courants, qui doivent être appris avec les mots qu'ils précèdent (dans le mot à mot des traductions, ils seront notés : *unité*).

■ L'adjectif (ou le nom employé comme adjectif) précède le nom mais suit le classificateur :
í ke hǎo tchǒu-ì *une bonne idée* /un/unité/bon/idée

liǎng ke Mĕï-kouó p'éng-iǒou *deux amis américains*
/deux/unité/Amérique/ami

A2 Entraînez-vous !

A Que veut dire en français ?

1. **ní iŏou k'òng ma ?**
2. **ouŏ mĕï iŏou tì-fāng**
3. **ouŏ mĕï iŏou líng-tj'iénn**
4. **Ouáng hsiăo-tjie, nínn hăo ma ?**

B Comment dire en chinois ?

1. Avez-vous (singulier de politesse) des enfants ?
2. Nous n'avons pas de journaux étrangers
3. J'ai une bicyclette chinoise
4. J'ai trois enfants

SOLUTIONS

A

1. As-tu du temps libre ?
2. Je n'ai pas de place
3. Je n'ai pas de monnaie
4. Bonjour, Mlle Wang !

B

1. **nínn iŏou háï-ts. ma ?**
2. **ouŏ-menn mĕï iŏu ouàï-kouó pào-tch.ˇ**
3. **ouó iŏou í liàng Tchōng-kouó ts.ˋ-hsíng-tch'ē**
4. **ouó iŏou sānn ke háï-ts.**

■ *L'écriture chinoise :*

• l'écriture chinoise est composée de caractères. Chaque syllabe orale (à une exception près) correspond à un caractère, et chaque caractère est doté d'une signification.
• les caractères ne notent pas les sons. Il faut donc les apprendre un par un, avec leur prononciation et leur signification.
Les caractères ne sont pas tous des mots. Certains d'entre eux n'apparaissent que dans des mots composés de deux ou plusieurs caractères.
• les caractères sont composés d'ensembles de traits, appelés <u>éléments</u>, aisément reconnaissables avec un peu d'habitude. Certains de ces éléments, appelés <u>clefs,</u> servent à ranger les caractères dans les dictionnaires et donnent souvent une indication très générale de leur sens.
• ainsi, le caractère 河 **hé**, *fleuve, rivière* est formé de deux éléments : 氵 qui signifie *eau* et en constitue la clé, et l'élément 可 (dont la prononciation **k'ĕ** ressemble à celle de 河).

A3 Y a-t-il.../Il y a.../Il n'y a pas...

Y a-t-il...

1. un cinéma ?
2. un train demain ?
3. un pilote dans l'avion ?
4. un compteur dans le taxi ?
5. quelque chose de neuf ? (quoi de neuf ?)

Il y a...

6. trois vols par semaine.
7. un café au rez-de-chaussée.
8. un train à 6 heures.
9. un téléphone public en face.

Il n'y a pas...

10. de problème.
11. de café ici, il n'y a que du thé.
12. de touristes ici.
13. Il n'y en a plus.
14. Il n'y a plus d'eau !

■ **Prononciation** : (les sons identiques au français ne sont pas commentés)

• l'apostrophe après les consonnes indique une forte expiration d'air. La présence ou l'absence de cette expiration permet de distinguer certaines consonnes entre elles.

• **tj** et **tj'** sont des consonnes intermédiaires entre *tz* et *tj*.
tj' est, comme **tch'**, suivi d'une forte expiration d'air.

• **hs** a un son intermédiaire entre celui de *s* et celui de *ch*.

• le son figuré par **h** n'existe pas en français et consiste en un fort raclement au niveau de la gorge un peu comme le français *âcre*, ou le *ch* de l'allemand *Bach*.

A3 iǒou méï iǒou.../iǒou/méï iǒou

iǒou (...) méï iǒou 有(...)没有？/y avoir (...) ne pas/y avoir/

1. ǒou méï iǒou tiènn-ǐng iuànn？电影院 /cinéma/salle
2. míng-t'iēnn iǒou méï iǒou houǒ-tch'ē？明天有没有火车 /demain/y avoir/ne pas/y avoir/train
3. fēï-tjī chang iǒou méï iǒou fēï-hsíng-iuánn？飞机上有没有飞行员 /avion/sur/y avoir/ne pas/y avoir/pilote
4. tch'ōu-tsōu-tj'ì-tch'ē li iǒou méï iǒou tjì-tch'éng-piǎo？出租汽车里有没有计程表 /taxi/dans/y avoir/ne pas/y avoir/compteur
5. iǒou chém-me hsīnn te hsiāo-hsi méï iǒou？有什么新消息没有 /y avoir/quelque/récente/**te**/nouvelle/ne pas/y avoir

iǒou 有... /y avoir

6. měï hsīng-tj'ī iǒou sānn ts'.` fēï-tjī 每星期有三次飞机 chaque/semaine/y avoir/trois/fois/avion
7. ì lóou iǒou k'ā-fēï-kouǎr 一楼有咖啡馆儿 premier/étage/y avoir/café
8. liòou tiěnn tchōng ióou houǒ-tch'ē 六点钟有火车 six/point/horloge/y avoir/train
9. touèï-miènn iǒou kōng-iòng tiènn-houà 对面有公用电话 en face/y avoir/public/téléphone

méï iǒou 没有 /ne pas y avoir

10. ouènn-t'í 问题
11. tchèr méï iǒou k'ā-fēï, tch.´ iǒou tch'á 这儿没有咖啡，只有茶 /ici/ne pas y avoir/café. seulement/y avoir/thé
12. tchèr méï ióou lǔ-k'è 这儿没有旅客 ici/ne pas y avoir/touriste
13. méï iǒou le 没有了 /ne pas y avoir/**le**
14. méï iǒou chouěï le 没有水了 /ne pas y avoir/eau/**le**

■ **Chiffres de 1 à 10 :**

1. **ī** 一	2. **èr** 二 . **liǎng** 两 (devant classificateur)	
3. **sānn** 三	4. **s.`** 四	5. **ǒu** 五
6. **liòou** 六	7. **tj'ī** 七	8. **pā** 八
9. **tjiǒou** 九	10. **ch.´** 十	

■ **Chiffres de 11 à 19 :**

ils se forment avec **ch.´** *dix*, suivi d'un chiffre de 1 à 9 :

11. **ch.´-ī** 十一	12. **ch.´-èr** 十二	13. **ch.´-sānn** 十三
14. **ch.´s.`** 十四	15. **ch.´-ǒu** 十五	16. **ch.´ liòou** 十六
17. **ch.´-tj'ī** 十七	18. **ch.´-pā** 十八	19. **ch.´-tjiǒou** 十九

A3 Constructions & remarques

- Si la phrase a comme sujet un nom de lieu ou de temps, **iǒou** signifie *y avoir* et **méï iǒou** *ne pas y avoir* :
  Tchōng-kouó iǒou tch'á *En Chine il y a du thé.* /Chine/y avoir/thé

  liòou tiěnn méï iǒou houǒ-tch'ē *Il n'y a pas de train à 6 heures.*
  /six/heure/ne pas/y avoir/train

- **Interrogation** : interrogation alternative
  L'interrogation alternative consiste en la répétition du verbe précédé de la négation :

  Fǎ-kouó iǒou méï iǒou tch'á ? *Y a-t-il du thé en France ?*
  /France/y avoir/ne pas/y avoir/thé
  La forme interrogative alternative est équivalente à la forme interrogative en **ma** (voir B2) et ne peut s'employer avec elle.

- **Réponses par oui et non**
  il n'y a pas de mot pour *oui* et *non* en chinois. On répond par le verbe de la question. A la question précédente, les réponses seront :
  iǒou *Oui.* /y avoir

  méï iǒou *Non.* /ne pas/y avoir

- Les **mots de temps et de lieu** s'emploient avant les verbes :

  sānn tiěnn tchōng iǒou fēï-tjī *Il y a un avion à trois heures.*
  trois/point/horloge/y avoir/avion
  tchèr iǒou tch'á *Ici il y a du thé.* /ici/y avoir/thé

- L'**heure** se dit au moyen d'un chiffre de 1 à 12 suivi de **tiěnn,** *point* ou **tiěnn tchōng**, *point d'horloge* (les points qui sont sur le cadran).

  s.` tiěnn** ou **s.` tiěnn tchōng : *quatre heures*

- Les **mots de localisation** se placent après les noms auxquels ils s'appliquent :
  fáng-tjiēnn, *chambre*, **li**, *dans* : **fáng-tjiēnn li** *dans la chambre.*
  fēï-tjī, *avion*, **chang,** *sur* : **fēï-tjī chang** *sur (=dans) l'avion* (on dit généralement *sur l'avion* en chinois et non *dans l'avion).*

- **méï iǒou**, *ne pas avoir*, ou **póu ch.`**, *ne pas être*, dans une phrase suivi de la particule de fin de phrase **le** signifient : *ne plus*.

  ouǒ méï iǒou tch'á le *Je n'ai plus de thé.* /je/ne pas y avoir/thé/**le**

- **ì lóou,** *rez-de-chaussée* (en Chine), *premier étage* (en occident). Les chinois comptent les étages à partir du sol. **ì lóou** (/premier/étage) est donc en Chine notre *rez-de-chaussée*.

A3 Entraînez-vous !

A Que veut dire en français ?

1. **touèï-miènn iǒou kōng-iòng tiènn-houà**
2. **touèï-miènn iǒou mĕ́ï iǒou k'ā-fēï-kouăr**
3. **fēï-tjī chang iǒou kōng-tch'éng-ch.¯**
4. **t'ā ch.` fēï-tjī fēï-hsíng-iuánn**

B Comment dire en chinois ?

1. Y a-t-il des problèmes ?
2. Il n'y a pas de touriste français dans le café.
3. Il y a un bureau de poste (**íóou-tjú**) ici.
4. Il y a un train trois fois par semaine.

SOLUTIONS

A

1. Il y a un téléphone public en face.
2. Y a -t-il un café en face ?
3. Il y a des ingénieurs dans l'avion.
4. Il est pilote d'avion.

B

1. **iǒou mĕ́ï iǒou ouènn-t'í**
2. **k'ā-fēï-kouăr li mĕ́ï iǒou Fă-kouó lŭ-k'è**
3. **tchèr iǒou íóou-tjú**
4. **mĕï hsīng-tj'ī iǒou sānn ts'.` houŏ-tch'ē**

■ **Vocabulaire :** quelques exemples de mots composés pour en saisir le principe. (l'ordre des mots qui forment les mots composés est celui de la grammaire du chinois...) :
• Composés avec **tiènn**, *électricité :*
tiènn-ĭng, *cinéma*, se décompose en **tiènn**, *électricité*, et **ĭng,** *ombre*, et signifie donc *ombre électrique*. **tiènn-ĭng iuàn,** *salle de cinéma*, est formé de **tiènn-ĭng,** *film*. et **iuàn,** *salle*.
tiènn-houà, *téléphone : parole* (**houà**) *électrique* (**tiènn**)
• **huŏ-tch'ē,** *train* se compose de **huŏ,** *feu*, et **tch'ē,** *véhicule*. Le mot signifie donc : *véhicule qui fait du feu*. De même : **tj'ì-tch'ē,** *voiture : véhicule* (**tch'ē**) à *essence* (**tj'ì**).
• **fēï-tjī,** *avion* : *machine* (**tjī**) qui *vole* (**fēï**).
• **lŭ-k'è,** *touriste : hôte* (**k'è**) qui *voyage* (**lŭ**).
• **k'ā-fēï-kouăr,** *café (établissement)*. est formé de **k'ā-fēï,** *café*, mot emprunté et de **kouăr** (ou : **kouănn**) *établissement*.
A noter également : **lú-kouănn,** *hôtel* formé de **kouănn,** *établissement* et de **lŭ,** *voyager*.

A4 Où est...?/Où sont...?

Où est/sont...

1. les toilettes ?
2. la gare ?
3. la station de métro ?
4. le chauffeur du bus ?
5. donc ma femme ?
6. votre chambre ?
7. mes bagages ?
8. le restaurant de l'hôtel ?

À quel endroit est/sont...

9. le magasin ?
10. la place Tian An men ?
11. l'université de Pékin ?

À/jusqu'à

12. Nous nous sommes promenés aux Collines Parfumées.

■ **Prononciation :**

• **-r** à la fin des syllabes se prononce avec la pointe de la langue redressée vers le palais (**k'ā-fēï kouăr,** *café, bar* ; **năr,** *où*) : **èr,** *deux*, se prononce comme *eu* de *peur* suivi de **-r**.

• **j** ressemble à un *j* français, comme dans *je*, mais la langue est relevée vers le palais (consonne dite rétroflexe). Cette remarque est aussi valable pour **tch**. **tch'** et **ch**.

• **tch** et **tch'** se prononce *tch* comme dans *tchèque* (mais avec la langue relevée vers le palais). **tch'** est en outre suivi d'une forte expiration d'air.

A4 ...tsàï năr ?/...tsàï nă-li ?

...tsàï năr ? 在哪儿 /se trouver à/où/

1. ts'è-souŏ tsàï năr ? 厕所在哪儿 /W.C./se trouver à/où/
2. houŏ-tch'ē tchànn tsàï năr ? 火车站在哪儿 /train/gare/se trouver à/où/
3. tì-t'iĕ tchànn tsàï năr ? 地铁站在哪儿 /métro/station/se trouver à/où/
4. kōng-kòng-tj'ì-tch'ē s.¯-tjī tsàï năr ? 公共汽车司机在哪儿 /autobus/chauffeur/se trouver à/où/
5. ouŏ t'àï-t'àï tsàï nă-li ne ? 我太太在哪里呢 /je/femme/se trouver à/où/donc/
6. nĭ te fáng-tjiēnn tsàï nă-li ? 你的房间在哪里 /vous/**te**/chambre/se trouver à/où/
7. ouŏ te hsíng-lĭ tsàï nă-li ? 我的行李在哪里 /je/**te**/bagages/se trouver à/où
8. lú-kouănn de ts'ānn-t'īng tsàï nă-li ? 旅馆的餐厅在哪里 /hôtel/**te**/restaurant/se trouver à/où

...tsàï chém-me tì-fāng ? 在什么地方 /se trouver à/quel/endroit/

9. chāng-tiènn tsàï chém-me tì-fāng ? 商店在什么地方 /magasins/se trouver à/quel/endroit/
10. T'iēnn-ānn-ménn kouáng-tch'ăng tsàï chém-me tì-fāng ? 天安门广场在什么地方 /Tian Anmen/place/se trouver à/quel/endroit/
11. Pĕï-tjīng tà-hsué tsàï chém-me tì-fāng ? 北京大学在什么地方 /Pékin/Université/se trouver à/quel/endroit/

tào 到 /à, jusqu'à/

12. ouŏ-mènn tào Hsiāng-chānn tj'ù sànn-pòu le 我们到香山去散步了 /nous/à/Montagnes Parfumées/aller/se promener/passé

■ Prononciation :

• <u>Rappel</u> : Les consonnes suivies d'une apostrophe diffèrent de leurs homologues sans apostrophe par la présence d'une expiration. Si vous ne faites pas cette expiration d'air, vous confondrez **p** et **p'**, **t** et **t'**, **ts** et **ts'**, **tch** et **tch'**, **tj** et **tj'**, **k** et **k'**.

• **ts** et **ts'** se prononcent comme dans *tsé-tsé (la mouche)*.

• les consonnes **p, t, ts, k** ressemblent à leurs équivalentes en français, mais sont plus douces (assez proches de respectivement **b, d, dz, g**).

Constructions & remarques

■ **tsàï**, *être à*, *se trouver à*, s'applique au lieu où se passe quelque chose et ne peut s'employer s'il y a mouvement. En ce cas, il faut dire **tào**, *à*, *jusqu'à* (voir ph.12).
t'ā tsàï Tchōng-kouó *Elle est en Chine*. /elle/être à/Chine
t'ā póu tsàï Fă-kouó, t'ā tsàï Pĕï-tjīng *Il n'est pas en France, il est à Pékin*.. /il/ne pas/être à/France, il/être à/Pékin
t'ā tsàï ma ? *Est-ce qu'il est (chez lui) ?* /il/être à/est-ce que

■ La particule **te**, indice du complément de nom :
il n'y a pas d'adjectifs possessifs *mon*, *ma*, *mes*, en chinois. C'est une particule, **te**, intercalée entre le pronom personnel et le nom qui indique le rapport de possession. Le pronom précède toujours **te** :
ouŏ te hsíng-lĭ *mes bagages* /je/**te**/bagage
nĭ-menn te fáng-tjiēnn *votre, vos chambre(s)* /vous/te/chambre

ouŏ te,	*mon, ma, mes, le mien, la mienne, etc.*
nĭ te	*ton, ta, tes, le tien, la tienne, etc.*
t'ā te	*son, sa, ses, le sien, la sienne, etc.*

• nom qualifiant un autre nom
Les noms employés comme complément d'un autre nom le précèdent avec **te**, quand le premier des deux noms (en général rendu par un adjectif en français) exprime une caractéristique du second :
Pĕï-tjīng te pí-tjiŏou *la bière de Pékin* /Pékin/**te**/bière

Lĭ Iŏu-ouénn te laŏ-ch.` *le professeur de Li Youwen*
/Li Youwen/**te**/professeur

• **te**, exprimant la possession, est généralement omis après un pronom si le nom exprime un rapport de parenté ou de relation proche :
tā kē-kē ou **tā te kē-kē**, *son frère aîné, ses frères aînés* /il/frère aîné/

ouŏ háï-ts. ou **ouŏ te háï-ts.**, *mon enfant, mes enfants*

ouŏ p'éng-iŏou ou **ouŏ te p'éng-iŏou**, *mon ami(e), mes ami(e)s*

■ **năr**, *où* et **nă-lĭ**, *où*, sont équivalents. Quant à **chém-me tì-fāng**, ce mot signifie littéralement : **chém-me** *que, quel*, **tì-fāng** *endroit*.

■ **ne**, *donc*, particule de fin de phrase (comme **le**) est une forme d'insistance, dans les phrases comprenant déjà un mot interrogatif :

ts'é` -souŏ tsàï nă-li ne ? *Où sont donc les toilettes ?*
/toilettes/être à/où/donc

■ **le**, particule de fin de phrase, employé dans une phrase à verbe d'action, indique le passé (ph.12) :
t'ā tj'ù sànn pòu le *Il est allé se promener*. /il/aller/se promener/passé

A4 Entraînez-vous !

A Que veut dire en français ?

1. **k'ā-fēï-kouăr tsàï năr ?**
2. **năr iŏou k'ā-fēï ?**
3. **mēï iŏou tch'á le**
4. **ouŏ t'àï-t'àï tsàï chém-me tì-fāng ?**

B Comment dire en chinois ?

1. Où sont les journaux en français ?
2. La chambre double est à quel endroit ?
3. Il est allé à la gare
4. Où est ton passeport ?

SOLUTIONS

A

1. Où est le café (établissement) ?
2. Où y a-t-il du café (boisson) ?
3. Il n'y a plus de thé
4. Où est ma femme ?

B

1. **Fă-ouénn pào-tch.ˇ tsàï năr ?** (ou : **tsàï nă-li**)
2. **chouāng-jénn fáng-tjiēnn tsàï chém-me tì-fāng ?**
3. **t'ā tào houŏ-tch'ē tchànn tj'ù le**
4. **nĭ te hòu-tchào tsàï năr ?** (ou : **tsàï nă-li**)

■ **Comment demander son chemin ? (ouènn lòu** /demander/route)
En Chine, l'unité de direction est, même dans les villes, le point cardinal. On vous dira : *allez à l'est, puis tournez au nord...*
Où se trouve ? **...tsàï năr ?**
nord **pĕï-pienn, pĕï-fāng**
sud **nánn-pienn, nánn-fāng**
est **tōng-pienn, tōng-fāng**
ouest **hsī-pienn, hsī-fāng**
tout droit **ì-tch.´ tsŏou** /droit/marcher
tournez vers l'est **ouăng tōng kuăï** /vers/est/tourner
1ère rue au nord **pĕi-pienn tì-ī t'iáo tjiē** /nord/premier/unité/rue

Si, malgré tout, vos demandes échouent : la meilleure façon de demander son chemin est de poser une question supposant une réponse par *oui* ou par *non*. Donc, dites : *est-ce que (T'ian An men) est par là ?* **(T'iēnn-ānn-ménn) tsàï nàr ma ?**
D'après les gestes de votre interlocuteur, vous saurez immédiatement où est la bonne direction.

A5 Où vas-tu ?/D'où viens-tu ?

Où allez-vous ?

1. Je vais à la gare
2. Je vais au musée
3. Je vais faire des courses

D'où venez-vous ?

4. Je viens de France
5. Je viens de Shanghai
6. Je reviens de l'école/du lycée/de la Faculté

Je suis + lieu

7. ...à l'hôtel
8. ...devant la gare
9. ...à côté de Madame Li
10. ...à la maison/chez moi

Etre à.../jusqu'à.../de...

11. Elle n'est pas ici
12. Elle ne veut pas aller à Pékin cette année
13. Je ne viens pas d'Angleterre, je viens de France

■ **Prononciation :**

• dans les syllabes terminées par **-n** ou **-ng** (**jénn**, **tchōng**) ne faites surtout pas entendre un *e* muet après la consonne.

• **e** après une consonne ou avant **-ng** (**te** ou **p'éng**, par exemple) se prononce comme *eu* dans *beurre*

• **eï** après une consonne ou dans **oueï** se prononce comme *eille* dans *abeille*. **pëi** se dit *peille*, **houeï** se dit *houeille*.

• e dans **ie**, **enn**, **ienn**, **ouenn**, se prononce comme *è* dans *très*.

• **e** précédé de **u** se prononce plus près de *é* comme dans *huée*.
iue se prononce *i+u+é*, **hsue** se prononce *suée*

• **a** seul ou dans **ia**, **oua**, **ouann**, **aï** se prononce comme *a* dans *patte*.

A5 nǐ tào năr tj'ù ? /nǐ ts'óng năr láï ?

nǐ tào năr tj'ù ? 你到哪儿去 /tu/à/où/aller

1. ouŏ tào houŏ-tch'ē-tchànn tj'ù 我到火车站去
   /je/à/train/gare/aller
2. ouŏ tào pó-òu-kouănn tj'ù 我到博物馆去
   /je/à/musée/aller
3. ouŏ tj'ù mǎï tōng-hsi 我去买东西 /je/aller/acheter/choses/

nǐ ts'óng năr láï ? 你从哪儿来 /tu/de/où/venir

4. ouŏ ts'óng Fă-kouó láï 我从法国来 /je/de/France/venir
5. ouŏ ts'óng Shàng-hăï láï 我从上海来 /je/de/Shanghai/venir
6. ouŏ ts'óng hsué-hsiào houéï-laï 我从学校回来
   /je/de/école/revenir

ouŏ tsàï... 我在 /je/être à/

7. lú-kouănn 旅馆
8. houŏ-tch'ē tchànn tj'iénn-miènn 火车站前面
   /train/gare/devant/
9. Lĭ t'àï-t'aï p'áng-piēnn 李太太旁边 /Li/Madame/à côté/
10. tjiā-li 家里 /famille/dans/

tsàï, ts'óng, tào 在，到，从 /être à.../jusqu'à/de...

11. t'ā póu tsàï tchèï-li 她不在这里 /elle/ne pas/être à/ici/
12. t'a tjīnn-niénn pòu hsiăng tào Pĕï-tjīng tj'ù
    她今年不想到北京去 /elle/cette année/ne pas/penser/à/Pékin/aller
13. ouŏ póu ch.` ts'óng Ing-kouó láï, ch.` ts'óng Fă-kouó láï
    我不是从英国来，是从法国来
    /je/ne pas/être/de/Angleterre/venir. /être/de/France/venir

■ Prononciation :

• **aï** se prononce comme le français *ail*, **ouaï** se prononce comme *ouailles*.

• **ann** se prononce comme dans *panne*.

• **oua** se prononce *ou (cou) + a (patte)*, **ouann** se prononce comme dans *moine*

• **menn** et **ma** ne portent pas de ton. On dit que ces syllabes sont «atones» ou au «ton léger». De nombreux mots grammaticaux ou les secondes syllabes de certains mots dissyllabiques sont atones.
Les syllabes au «ton léger» sont plus brèves que les autres et leur hauteur dépend du ton de la syllabe précédente.
Dans cet ouvrage, les syllabes atones sont notées sans signe de ton.

A5 Constructions & remarques

■ Les prépositions (comme **tào,** *jusqu'à* ou **ts'óng,** *de, depuis*) précèdent le nom en chinois. Le groupe préposition + nom précède le verbe :

t'ā tào Tchōng-kouó tj'ù *Elle va en Chine.* /elle/à/Chine/aller

t'ā ts'óng Fǎ-kouó lái *Il vient de France.* /il/de/France/venir

t'ā tsàï Tchōng-kouó hsué-hsí *Il étudie en Chine.* /il/à/Chine/étudier

■ **tsàï**, *se trouver, être à,* est également une préposition :

t'ā tsàï Fǎ-kouó *il est en France* /il/être à/France
(ici, **tsàï** est un verbe)
t'ā tsàï Fǎ-kouó hsué-hsí *il étudie en France* /il/à/France/étudier
(ici, **tsàï** est une préposition)

• Rappel : **tsàï**, *à, en*, s'applique au lieu où se passe quelque chose et ne peut s'employer s'il y a mouvement. En ce cas, il faut dire **tào**, *à, jusqu'à.*

■ Les adverbes, les verbes auxiliaires et les mots exprimant le moment où se passe quelque chose précèdent les prépositions :

t'a tjīnn-niénn pòu hsiǎng tào Pěï-tjīng tj'ù
Elle n'a pas l'intention d'aller à Pékin cette année.
/elle/cette année/ne pas/penser/à/Pékin/aller

wǒ tjīnn-t'iēnn hsià-ǒu tsàï tchèr k'ànn chōu
Je lirai des livres ici cet après-midi.
/je/aujourd'hui/après-midi/à/ici/lire/livre

■ La négation de **tsàï** est **póu tsàï,** *ne pas être à :*
t'ā póu tsàï tchèï-li *Elle n'est pas ici* /elle/ne pas/être à/ici

• la négation de **tào** *à, jusqu'à,* et **ts'óng,** *de, depuis,* se forme avec **póu ch.`** *ne pas être.*

ouǒ póu ch.` tào Fǎ-kouó tj'ù, ouǒ ch.` tào Měï-kouó tj'ù
Je ne vais pas en France, je vais en Amérique.
/je/ne pas/être/à/France/aller. je/être/à/Amérique/aller

■ S'il y a un mot interrogatif dans la phrase, on n'emploie ni **ma** ni la forme interrogative alternative (A3).

t'ā tsàï nǎr k'ànn chōu ? *Où lit-il ?* /il/à/où/lire/

t'ā tào nǎr tj'ù ? *Où va-t-elle ?* /elle/à/où/aller/

A5

Entraînez-vous !

A Que veut dire en français ?

1. **nǐ tào nǎr tj'ù mǎï tōng-hsi ?**
2. **ouǒ ts'óng houǒ-tch'ē tchànn láï**
3. **pó-òu-kouǎnn tsàï nàr ma ?**
4. **t'ā póu hsiǎng tsàï Tchōng-kouó mǎï ts.` -hsíng-tch'ē**

B Comment dire en chinois ?

1. Je viens du café.
2. Est-elle chez elle ?
3. Nous irons au musée demain.
4. L'Angleterre est à côté de la France.

SOLUTIONS

A

1. Où vas-tu faire les courses ?
2. Je viens de la gare.
3. Le musée est-il là-bas ?
4. Il n'a pas l'intention d'acheter un vélo en Chine.

B

1. **ouǒ ts'óng k'ā-fēï-kuǎr láï**
2. **t'ā tsàï póu tsàï tjiā-li ?** ou **t'ā tsàï tjiā-li ma ?**
3. **ouǒ-menn míng-t'iēnn tào pó-òu-kouǎnn tj'ù**
4. **īng-kouó tsàï Fǎ-kouó p'áng-piēnn**

■ **Localisation :**

devant	**tj'iénn-pienn**	*(à) gauche*	**tsouǒ-pienn**
derrière	**hòu-pienn**	*(à) droite*	**iòou-pienn**
dessus, sur	**chàng-pienn**	*dedans, dans*	**lǐ-pienn**
dessous, sous	**hsià-pienn**	*dehors*	**ouàï-pienn**
(à) côté	**p'áng-piēnn**	*en face*	**touèï-miènn**

• les mots locatifs (qui décrivent une position) s'emploient comme des noms :
ouǒ tào lǐ-pienn tj'ù *Je vais à l'intérieur.* je/à/intérieur/aller
t'a póu tsàï chàng-pienn *Il n'est pas en haut.* il/ne pas/être à/dessus
• quand ils s'appliquent à un nom, ils doivent se mettre après (A3) :
tj'ì-tch'ē lǐ-pienn. *dans la voiture* /voiture/dans
fáng-ts. touèï-miènn. *en face de la maison* /maison/en face
• **lǐ-pienn,** *dans*, et **chàng-pienn**. *sur*. se réduisent habituellement à **li**, et **chang**, <u>après un nom</u> :
tchouō-ts. chang. *sur la table* /table/dessus
fáng-ts. li *dans la maison* /maison/dedans

A6 Je veux/j'ai envie de/voulez-vous ?

Je voudrais...

1. une tasse de thé.
2. un journal français.
3. téléphoner à un ami.
4. acheter des billets de chemin de fer.

J'ai envie de...

5. boire une canette de bière.
6. visiter la Grande Muraille.

Voulez-vous.../Voudriez-vous...

7. changer de l'argent ?
8. réserver une chambre ?
9. signer ce contrat ?

Voulez-vous encore...

10. une tasse de café ?
11. autre chose ?
12. Que voulez-vous encore ?

Je ne veux pas...

13. de reçu.
14. cette chambre-ci.
15. te le dire.

■ **Prononciation** :

• **t'** : *t* comme dans le français *ton*, mais **t** est accompagné d'un souffle d'air énergique.

• **ang** se prononce comme dans *langue* (sans le *e* final).

• **iang = i + ang, ouang = ou + ang**

• **ing** [ing] se prononce comme *ign* dans *signe*.

• **ong** se prononce *on* comme dans *gong*, mais sans faire entendre un *e* muet après le *g*.

A6 ouǒ iào/ouó hsiăng/nǐ iào...ma ?

ouǒ iào... 我要 /je/vouloir

1. ì pēï tch'á 一杯茶 /un/tasse/thé
2. í fènn Fă-ouénn pào-tch.ˇ 一份法文报纸
   /un/unité/français/journal
3. tă tiènn-houà kĕï í ke p'éng-iŏou 打电话给一个朋友
   /donner/téléphone/à/un/unité/ami
4. măï houŏ-tch'ē p'iào 买火车票 /acheter/billet/train

ouó hsiăng... 我想 /je/avoir l'intention de

5. hē í kouànn p'í-tjiŏou 喝一罐啤酒 /boire/un/boîte/bière
6. ts'ānn-kouānn Tch'áng Tch'éng 参观长城
   /visiter/long/muraille

nǐ iào...ma ? 你要...吗？ /tu/vouloir/est-ce que/

7. ...houànn tj'iénn ma ? 换钱吗 /changer/argent/est-ce que
8. ...iù-tìng í ke fáng-tjiēnn ma ? 预定一个房间吗？
   /réserver/un/unité/chambre/est-ce que
9. ...tj'iēnn tchè fènn hé-t'óng ma ? 签这份合同吗？
   /signer/ce/unité/contrat/est-ce que

nǐ háï iào...(ma) ? 你还要 /tu/encore/vouloir/est-ce que

10. ...ì pēï k'ā-fēï ma ? 一杯咖啡吗 /un/tasse/café/est-ce que
11. ...pié-te ma ? 别的吗 autre/est-ce que
12. ...chém-me ? 什么

ouǒ póu iào... 我不要 /je/ne...pas/vouloir/

13. ...chōou-tjù 收据
14. ...tchèï ke fáng-tjiēnn 这个房间 /ce/unité/chambre
15. ...kào-sou nǐ 告诉你 /dire/tu

■ **Prononciation :**

• **iao** est la combinaison de **i, a** et de **o** (comme dans *p<u>o</u>t*) ce qui ne pose pas de problème particulier.

• <u>Rappel</u> : **oueï** se prononce *ou* comme dans *c<u>ou</u>* suivi de *eille* comme dans *v<u>eille</u>*

• **em** dans **chém-me** se prononce comme *<u>aime</u>*. **me** se prononce *me*

• **ie** se prononce comme dans *h<u>ie</u>r*.

A6 Constructions & remarques

■ Les verbe **iào,** *vouloir,* et **hsiăng,** *avoir envie, avoir l'intention de :*

ouŏ iào hē ì pēï k'ā-fēï *Je veux boire une tasse de café.*
/je/vouloir/boire/une/tasse/café
ouó hsiăng tào īng-kouó tj'ù *J'ai l'intention d'aller en Angleterre.*
/je/vouloir/à/Angleterre/aller

• devant un nom **iào** signifie *vouloir qqchose :*
ouŏ iào ì pēï k'ā-fēï *Je veux une tasse de café.*
/je/vouloir/un/tasse/café

• devant un nom **hsiăng** signifie *penser à qqun* ou *qqchose :*
ní hsiăng tā ma ? *Penses-tu à elle ?* /tu/penser/elle/est-ce que

• pour poser une question avec **iào** et **hsiăng**, on peut dire **ma**, en fin de phrase ou utiliser la forme interrogative alternative :

nĭ iào tj'ù ma ? *Veux-tu y aller ?* tu/vouloir/aller/est-ce que
ní hsiăng pòu hsiăng tào Tchōng-kouó tj'ù ?
As-tu l'intention d'aller en Chine ?
/tu/avoir envie/ne pas avoir envie/à/Chine/aller

• pour répondre par *oui* ou par *non*, on dit :
R : **iào**, *oui*. ; **póu iào** *non*
R :**hsiăng** *oui ;* **pòu hsiăng** *non*

■ **kĕï** signifie *donner*. Employé comme verbe, il est suivi du complément indirect (la personne qui reçoit), puis du complément d'objet direct (l'objet donné) :
ouŏ kéï nĭ ì pĕnn chōu *Je te donne un livre.*
/je/donner/tu/un/unité/livre

• **kĕï**, comme préposition signifie *à, pour* et s'emploie avant le verbe ou après le complément. Exemple :
Il m'a téléphoné :
t'ā kéï ouŏ tă tiènn-houà le /il/à/moi/faire/téléphone/passé

t'ā tă tiènn-houà kéï ouŏ le /il/faire/téléphone/à/moi/passé

■ Adjectifs démonstratifs : **tchèï** ou **tchè**, *ce...ci*, et **nèï** ou **nà**, *ce...là*. Ils s'emploient devant les nombres :
nèï liăng ke īng-kouó jénn *ces deux Anglais-là*
ce/deux/unité/Angleterre/personnne

• si le chiffre est **ī**, *un*, celui-ci est facultatif :
tchèi ke Tchōng-kouó jènn *ce Chinois-ci* ce/unité/Chine/personne

■ Il n'y a pas de mot en chinois pour *y* ou *en* devant un verbe :
ouŏ tj'ù *jJy vais.* /je/aller
ouŏ iào *J'en veux.* /je/vouloir

A6 Entraînez-vous !

A Que veut dire en français ?

1. **ní hsiăng pòu hsiăng tào ióou-tjú** (poste) **tj'ù ?**
2. **kĕï ouŏ ì pĕï tch'á**
3. **ouŏ iào í kouànn p'í-tjiŏou**
4. **ouó kĕï nínn tchèï ke fáng-tjiēnn**

B Comment dire en chinois ?

1. Veux-tu une tasse de café ?
2. Je lui téléphonerai aujourd'hui
3. Je veux acheter autre chose
4. Je ne veux pas lui dire.

SOLUTIONS

A

1. Veux-tu aller à la poste ,
2. Donne-moi une tasse de thé
3. Je veux une cannette de bière
4. Je vous donne cette chambre

B

1. **nĭ iào póu iào ì pĕï tch'á ?** ou : **nĭ iào ì pĕï tch'á ma ?**
2. **ouŏ tjīnn-t'iēnn kĕï t'ā tă tiènn-houà**
3. **ouŏ hsiáng măï pié-te (tōng-hsi)**
4. **ouŏ póu iào kào-sou t'ā**

■ **L'écriture chinoise** : ordre et direction des traits
Les caractères s'écrivent en suivant un ordre des traits qui obéit à trois principes qui sont, par ordre de priorité décroissante : (1) de gauche à droite ; (2) de haut en bas ; (3) les traits horizontaux avant les traits verticaux.
Par ailleurs, les caractères s'inscrivent dans un carré idéal et sont séparés dans les textes par un espace.
Par exemple le caractère 河 **hé**, *fleuve*, *rivière*, s'écrit ainsi (décomposé trait par trait pour la démonstration, les flèches désignant la direction des traits) :

A7 Combien...?

Combien (ça coûte)... ?

1. coûte le billet de train ?
2. vous dois-je ?
3. gagnez-vous par mois ?
4. d'argent avez-vous sur vous ?

Combien...

5. d'enfants avez-vous ?
6. de personnes êtes-vous ?
7. combien de kilomètres y a-t-il encore ?

Combien de temps...

8. avez-vous ?
9. restez-vous en Chine ?
10. dure le voyage ?

Depuis combien de temps...

11. êtes-vous marié(e) ?
12. attendez-vous ?
13. êtes-vous à Canton ?
14. étudies-tu en Chine ?

■ **Prononciation :**

• **te**, indice du déterminant de nom, est toujours au ton léger (A5).

• **ouang** se prononce *ou* (de *cou*) + *an* (de *dans*).

• **ouo** se prononce *ou* (comme dans *cou*) + *o* (comme dans *pot*).

• **oou** se prononce *o+ou*.

• **eng** se prononce *eu* dans *peur* suivi de *-gn* (comme dans *ligne*).

A7 touō-chăo...?

...touō-chăo tj'iénn ? 多少钱 /combien/argent

1. houŏ-tch'ē-p'iào touō-chăo tj'iénn ? 火车票多少钱
   /train/billet/combien/argent
2. ouŏ tj'iènn nĭ touō-chăo tj'iénn ? 我欠你多少钱
   /je/devoir/toi/combien/argent
3. nĭ chènn-chang tàï touō-chăo tj'iénn 你身上带多少钱
   /tu/sur soi/porter/combien/argent/
4. nĭ í ke iuè tchèng touō-chăo tj'iénn ?
   你一个月挣多少钱 /tu/un/unité/mois/gagner/combien/argent

tjĭ... 几

5. nĭ iŏou tjĭ ke háï-ts. ? 你有几个孩子
   /tu/avoir/combien/unité/enfant/
6. nĭ-menn tjĭ ouèï ? 你们几位 /vous/combien/unité de politesse
7. háï iŏou tjĭ kōng-lĭ ? 还有几公里
   /encore/y avoir/combien/kilomètre

...touó tch'áng ch.´-tjiēnn ? 多长时间 /combien/long/temps

8. ní iŏou... 你有多长时间 ? tu/avoir/combien/long/temps
9. nĭ tsàï Tchōng-kouó iào tchòu...
   你在中国要住多长时间
   /tu/à/Chine/vouloir/habiter/combien/long/temps
10. tchèï ts'.` lŭ-hsíng iào... 这次旅行要多长时间
    /cette/fois/voyage/il faut/combien/long/temps

...touó tjiŏou le 多久了 ? /combien/long/**le** (indique le présent)

11. nĭ tjié-hōunn touó tjiŏou le ? 你结婚多久了
    /tu/se marier/combien/long/**le**
12. ní tĕng touó tjiŏou le ? 你等多久了
    /tu/attendre/combien/long/**le**
13. nĭ tsàï Kouăng-tchōou touó tjiŏou le ? 你在广州多久了
    /tu/à/Canton/combien/long/**le**
14. nĭ tsàï Tchōng-kouó hsué-hsí touó tjiŏou le ?
    你在中国学习多久了 /tu/à/Chine/étudier/combien/long/**le**

■ **Prononciation :**

- Rappel : **ue** (dans **hsué**) se prononce comme dans *uée* dans *huée*.
- **ounn** se prononce *ou* dans *cou* suivi de *-nn(e)*
- **ioou** se prononce *i+o +ou*
- **le**, particule grammaticale, est toujours au "ton léger" (A5)

Constructions & remarques

■ **Combien** en chinois.
Il y a deux mots correspondant à *combien :* **tjĭ** et **touō-chǎo**.

• **tjĭ** s'emploie quand on suppose que la réponse est inférieure à dix ;

• **touō-chǎo** quand on pense qu'elle est supérieure à dix ou quand on n'a aucune idée de la quantité :

nĭmen yŏu tjĭ liàng tj'ì-tch'ē ? *Combien avez-vous de voitures ?*
/vous/avoir/combien/unité/voiture
Fă-kouó iŏou touō-chăo liàng tj'ì-tch'ē ? *En France il y a combien de voitures ?* /France/avoir/combien/unité/voiture

• le classificateur est obligatoire après **tjĭ**, facultatif après **touō-chăo** .

■ Certaines phrases n'ont pas de verbe en chinois :

• les phrases ayant *coûter* comme verbe en français :

tchèï ke touō-chăo tj'iénn ? *Combien coûte ceci ?*
/ce/unité/combien/argent

• les phrases interrogeant sur un âge, une date, le lieu d'origine de quelqu'un ou un nombre de personnes :

ní tjĭ souèï ? *Quel âge as-tu ?* /tu/combien/année d'âge
tjīnn-t'iēnn hsīng-tj'ī-sānn *Aujourd'hui c'est mercredi.*
/aujourd'hui/mercredi
nĭ-menn tjĭ ouèï ? *Combien de personnes (êtes-vous) ?*
/vous/combien/unité de politesse (phrase usuelle au restaurant)

■ **Avec les verbes à double objet**, comme **kĕï,** *donner* (A6) ou **tj'ìenn** *devoir qqchose à qqun* , la personne qui reçoit se place avant l'objet reçu :

ouŏ tj'iènn nĭ í kouàï tj'iénn *Je te dois un yuan.*
/je/devoir/toi/un/morceau/argent

■ **touó tch'áng ch.´-tjiēnn ?** *pendant combien de temps,* interroge sur la durée d'une action, d'un fait passé présent ou futur, alors que **touó tjiŏou,** *depuis combien de temps,* est une expression interrogeant sur la durée, depuis son début, d'une action qui continue encore (français *depuis, depuis que*).

■ **le,** dans **touó tjiŏou le,** *depuis combien de temps que,* est une particule de fin de phrase qui indique que l'action ou le fait est actuel ou nouveau.
le peut aussi signifier le passé, mais le verbe de la phrase est alors un verbe d'action (A4).

A7 Entraînez-vous !

A Que veut dire en français ?

1. **ouŏ tjié-hōunn sānn niénn** (*année*) **le**
2. **nínn iŏou háï-ts. ma ?**
3. **nĭ tsàï lú-kouănn p'áng-piēnn ma ?**
4. **t'ā tsàï Pĕï-tjīng hsué-hsí Fă-ouénn**

B Comment dire en chinois ?

1. Combien coûte ceci ?
2. Je te dois 4,5 yuans
3. Combien y a-t-il de kilomètres jusqu'à Shanghai
4. Depuis combien de temps êtes-vous en Chine ?

SOLUTIONS

A

1. Je suis marié depuis trois ans
2. Avez-vous des enfants ?
3. Tu es à côté de l'hôtel ?
4. Il/elle étudie le français à Pékin

B

1. **tchèï ke touō-chăo tj'iénn ?**
2. **ouŏ tj'iènn nĭ sānn k'ouàï ŏu máo**
3. **tào Chàng-hăï iŏou touō-chăo kōng-lĭ ?**
4. **nínn tsàï Tchōng-kouó touó tjiŏou le ?**

■ *la monnaie chinoise*
L'unité monétaire est le **yuán** qui se dit **k'ouàï** (classificateur qui signifie : *morceau*). Le mot *yuan* ne s'emploie pas en langue parlée.
í k'ouàï tj'iénn *un yuan* /un/morceau/argent
sānn păï k'uàï tj'iénn *trois cents yuans* /trois/cent/morceau/argent/

• **k'ouàï**, *yuan*, se divise en dix **máo**, littéralement *poil* (=1/10ᵉ de yuan), qui s'énonce après les yuans :
1,3 yuan : **í k'ouàï sānn máo** /un/yuan/trois/mao

• **máo** (1/10ᵉ de yuan), se divise en dix **fēnn**, *centime*, qui se disent après les **máo :**
2,35 yuan : **liăng k'ouàï sānn máo ŏu fēnn** /deux/morceau/3/poil/5/centime

• Si l'unité **máo**, *1/10ᵉ de yuan*, est absente, on la remplace par **líng**, *zéro* :
2,05 yuans : **liăng k'ouàï líng ŏu fēnn** /deux/morceau/zéro/5/centime

• Dans le cas où une seule unité est représentée, **tj'iénn**, *argent*, peut être dit après cette unité :
0,5 yuan : **ŏu máo tj'iénn** /cinq/poil/argent
• le yuan vaut (1999) environ 0.8 FF

A8 Quand...?/A quelle heure...?

Quand...

1. êtes-vous en congé ?
2. terminez-vous le travail ?
3. ouvrent les magasins ?
4. retournez-vous en France ?
5. dînons-nous ?

À quelle heure...

6. ferment les magasins ?
7. part le train ?
8. décolle votre avion ?
9. commence l'opéra de Pékin ?
10. vient-il ?

Une heure

11. Quelle heure est-il ?
12. Il est dix heures du matin.
13. Il est cinq heures vingt-cinq.
14. Je me suis levé(e) à huit heures moins le quart.
15. J'irai le voir à trois heures et demie cet après-midi.

■ **Prononciation** :

• dans les syllabes terminées par **-n** ou **-ng** (**jénn**, **tchōng**) ne faites surtout pas entendre un *e* muet après la consonne.

• **ie** se prononce *ie* comme dans *hier*.

A8 chém-me ch.´ hòou.../ tjí tiĕnn...?

chém-me ch.´-hòou... 什么时候？ /quel/moment

1. nĭ chém-me ch.´-hòou fàng-tjià ? 你什么时候放假
   /tu/quel/moment/être en congé
2. nĭ chém-me ch.´-hòou hsià-pānn ? 你什么时候下班
   /tu/quel/moment/finir de travailler
3. chāng-tiènn chém-me ch.´-hòou k'āï ménn ?
   商店什么时候开门 /magasin/quel/moment/ouvrir/porte
4. nínn chém-me ch.´-hòou houéï Fă-kouó ?
   您什么时候回法国 /vous/quel/moment/retourner/France
5. ouŏ-menn chém-me ch.´-hòou tch'.̄ ouănn-fànn
   我们什么时候吃晚饭 /nous/quel/moment/manger/dîner

tjí tiĕnn (tchōng) 几点钟？ /combien/point/horloge/

6. chāng-tiènn tjí tiĕnn tchōng kouānn ménn ?
   商店几点钟关门 /magasin/combien/point/horloge/fermer/porte
7. houŏ-tch'ē tjí tiĕnn k'āï ? 火车几点开
   /train/quelle/heure/partir
8. nĭ te fēï-tjī tjí tiĕnn tj'ĭ-fēï ? 你的飞机几点起飞
   /tu/**te**/avion/quelle/heure/décoller
9. tjīng-tjù tjí tiĕnn k'āï-iĕnn ? 京剧几点开演
   /opéra de Pékin/quelle/heure/commencer
10. t'ā tjí tiĕnn láï ? 他几点来 /il/quelle/heure/venir

ì-tiĕnn (tchōng) 一点钟 /un/point/horloge (= une heure)

11. hsiènn-tsàï tjí tiĕnn le ? 现在几点了
    /maintenant/quelle/heure/**le**
12. hsiènn-tsàï chàng-ŏu ch.´ tiĕnn 现在上午十点
    /maintenant/matinée/10/heure
13. hsiènn-tsàï óu tiĕnn èr-ch.´-ŏu fēnn 现在五点二十五分
    /maintenant/5/heure/25/minute
14. ouó tsăo-chang tch'à í k'è pā tiĕnn tj'ĭ-tch'ouáng
    我早上差一刻八点起床 /je/matin/moins/un/quart/huit/heure/se lever
15. ouŏ tjīnn-t'iēnn hsià-ŏu sānn tiĕnn pànn tj'ù k'ànn t'ā
    我今天下午三点半去看他
    /je/aujourd'hui/après-midi/trois/heure/demi/aller/voir/lui

■ Prononciation :

• Récapitulation : les sons qui suivent les consonnes sont appelées finales. La finale est composée soit :
- d'une, deux ou trois voyelle(s) : **nĭ, pēï, hsiăo**
- une ou deux voyelles suivies d'une consonne **- nn** ou **- ng** : **pĕnn, chouāng**

A8 Constructions & remarques

■ Rappel : l'heure en chinois

• **pànn,** *moitié*, *demi*, s'emploie après **tiĕnn**, *heure :*
ì tiĕnn pànn tchōng, ou simplement **ì tiĕnn pànn**, *une heure et demi*

• **k'è**, *quart d'heure :*
s.̀ tiĕnn í k'è (tchōng), *quatre heures et quart*
/quatre/heure/un/quart/(horloge)

• **fēnn**, *minute* : après **k'è**, *quart d'heure*, et **fēnn**, on ne dit pas **tchōng**, *horloge*, sauf s'il s'agit d'une durée.

s.̀ tiĕnn èr-ch.́-ŏu fēnn, *4 h 25*. /quatre/heure/vingt-cinq

• *moins* se dit **tch'à**, *manquer*, et précède l'heure :

tch'à í k'è liòou tiĕnn, *six heures moins le quart*
/manquer/un/quart d'heure/six/heure/
tch'à ch.́ fēnn tj'ī tiĕnn, *sept heures moins dix*
/manquer/dix/minute/sept/heure

• on n'utilise pas ordinairement une notation d'heure supérieure à douze, mais on fait précéder l'heure du moment de la journée :
hsià-ŏu sānn tiĕnn, *trois heures de l'après-midi*, ou *quinze heures*
/après-midi/trois/heure

Le nom **tchōng**, *horloge*, est facultatif.

■ La particule **le** (A7) se place toujours avant la particule interrogative **ma** :
hsiènn-tsaï sānn tiĕnn le ma ? *Est-il trois heures maintenant ?*
/maintenant/trois/heure/**le**/est-ce que

■ Les mots de temps exprimant le moment où se passe une action se trouvent avant les verbes :
nĭ chém-me ch.́-hòou măï tj'ì-tch'ē ? *Quand achète(ra)s-tu une voiture ?* /tu/quel/moment/acheter/voiture
ouŏ tjīnn-t'iēnn k'ànn tiènn-ĭng *Je vais au cinéma aujourd'hui.*
/je/aujourd'hui/regarder/cinéma

■ Le moment de la journée suit le nom du jour : **tjīnn-t'iēnn hsià-ŏu** *cet après-midi* /aujourd'hui/après-midi
hsīng-tj'ī sānn tsăo-chang *mercredi matin* /semaine/trois/matin

On n'emploie jamais les adjectifs démonstratifs **tchèï**, *ce...ci*, et **nèï**, *ce...là...*, avec les noms des moments de la journée.

A8 Entraînez-vous !

A Que veut dire en français ?

1. **ní hsiăng chém-me ch.´-hòou tào Tchōng-kouó tj'u ?**
2. **chāng-tiènn tsăo-chang pā tiĕnn pànn k'āï ménn...**
3. **...ouănn-chang tj'ī tiĕnn í k'è kouānn ménn**
4. **nĭ chém-me ch.´-hòou tj'ù k'ànn t'ā ?**

B Comment dire en chinois ?

1. Nous dînons à huit heures trente
2. Elle a téléphoné ce matin à dix heures moins le quart
3. Quelle heure est-il ?
4. Il est deux heures moins vingt cinq

SOLUTIONS

A

1. Quand penses-tu aller en Chine ?
2. Le magasin ouvre à 8 heures et demi le matin...
3. ...et ferme à sept heures et quart le soir
4. Quand iras-tu le/la voir ?

B

1. **ouŏ-menn ouănn-chang pā tiĕnn pànn tch'.¯ ouănn fànn**
2. **t'ā tjīnn-ti'ēnn chàng-ŏu tch'à í k'è ch.´ tiĕnn tă tiènn-houà le**
3. **hsiènn-tsàï tjí tiĕnn tchōng le ?**
4. **hsiènn-tsàï tch'à èr-ch.´-ŏu fēnn liáng tiĕnn le**

■ Écriture chinoise : les chiffres de un à dix :
Ce sont les caractères les plus simples pour apprendre à écrire.
La flèche indique la direction du ou des traits non conforme(s) aux règles énoncées en A6 :

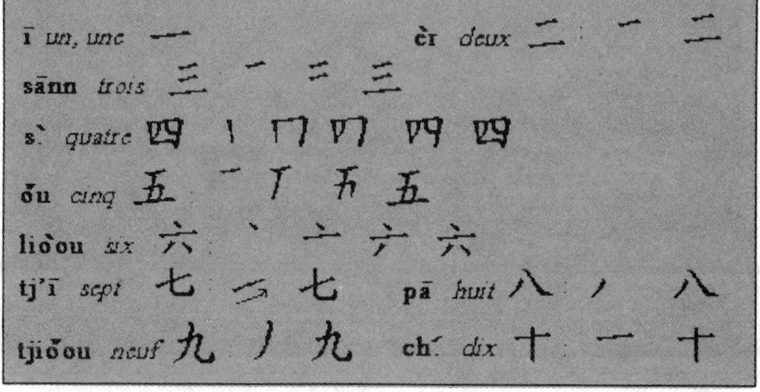

ī *un, une* 一 **èr** *deux* 二
sānn *trois* 三
s.̀ *quatre* 四
ŏu *cinq* 五
liòou *six* 六
tj'ī *sept* 七 **pā** *huit* 八
tjiŏou *neuf* 九 **ch.´** *dix* 十

A9 J'aime/Je n'aime pas...

J'aime...

1. voyager en Asie.
2. écouter la radio.
3. bien nager.
4. beaucoup les gâteaux.

Aimez-vous... ?

5. regarder la télévision ?
6. danser ?
7. faire les courses avec votre femme ?
8. le café ?

Je n'aime pas...

9. les jours de pluie.
10. prendre l'avion.
11. me lever tôt.
12. vivre dans une grande ville.

Je préfère...

13. le vin.
14. aller au cinéma.
15. la cuisine chinoise.

■ **Prononciation :**

Rappel : récapitulation des consonnes du chinois : Le chinois possède 21 consonnes initiales, appelées ainsi car elles se disent au début de syllabe (entre parenthèses, la transcription internationale quand elle diffère de notre transcription).

p	**p'**	**m**	**f**
t	**t'**	**n**	**l**
ts	**ts'**	**s**	
tch [ʈ]	**tch'** [ʈ']	**ch** [S]	**j** [J]
tj [Ç]	**tj'** [Ç']	**hs** [C]	
k	**k'**	**h**	

A9 ouó hsǐ-houānn/ouǒ pòu hsǐ-houānn

ouó hsǐ-houānn... 我喜欢 /je/aimer...

1. ouó hsǐ-houānn tsàï Ià-tchōou lǔ-hsíng
   我喜欢在亚洲旅行 /je/aimer/en/Asie/voyager
2. ouó hsǐ-houānn t'īng chōou-īnn-tjī 我喜欢听收录机
   /je/aimer/écouter/radio
3. ouó hénn hsǐ-houānn ióou-iŏng 我很喜欢游泳
   /je/très/aimer/nager
4. ouó hénn hsǐ-houānn tch'.¯ tiěnn-hsīn 我很喜欢吃点心
   /je/très/aimer/manger/gâteau

ní hsǐ-houānn pòu hsǐ-houānn... 你喜欢不喜欢
/tu/aimer/ne pas/aimer...

5. k'ànn tiènn-ch.` ? 看电视 /regarder/télévision
6. t'iào-ǒu ? 跳舞
7. kēnn nǐ t'àï-t'ài tj'ù mǎï tōng-hsi ? 跟你太太去买东西
   /avec/tu/épouse/aller/acheter/choses
8. hē k'ā-fēï ? 喝咖啡 /boire/café

ouǒ pòu hsǐ-houan... 我不喜欢 /je/ne pas/aimer...

9. hsià-iǔ t'iēnn 下雨天 /pleuvoir/jour
10. tsouò fēï-tjī 坐飞机 /asseoir/avion
11. tsáo tj'ǐ 早起 /tôt/se lever
12. tchòu tsàï tà tch'éng-ch.` li 住在大城市里
    /habiter/à/grand/ville/dans

ouǒ tsouèï hsǐ-houānn... 我最喜欢 /je/le plus/aimer

13. p'óu-t'ao tjiǒou 葡萄酒 /raisin/alcool
14. k'ànn tiènn-ǐng 看电影 /regarder/film
15. Tchōng-kouó ts'àï 中国菜 /Chine/cuisine

■ **Prononciation :**

• Changements de tons (1). certaines syllabes changent de ton dans des contextes particuliers.

• la négation **pòu**, se prononce au 2e ton devant une syllabe au 4e ton : **póu ch.`** , *ne pas être*.
Dans les autres cas elle se prononce au 4e ton : **pòu hē**, *ne pas boire*.

Tout au long de ce livre, nous noterons ces changements tels qu'ils se prononcent réellement.

A9 Constructions & remarques

■ Interrogation alternative avec les verbes de deux syllabes :
on répète soit les deux syllabes, soit seulement la première :
nǐ hsǐ pòu hsǐ-houānn...? = nǐ hsǐ-houānn pòu hsǐ-houānn...?
est-ce que tu aimes...?

avec le verbe **tch.¯-tào,** *savoir quelque chose :*
nǐ tch.¯ pòu tch.¯-tào...? *est-ce que tu sais...?*

• la négation des verbes signifiant *vouloir, avoir l'intention de, pouvoir, aimer* est toujours **pòu**.

■ La préposition **kēnn**, signifie *avec*. Elle s'emploie, comme les autres prépositions, avant le verbe :

ouǒ kēnn nǐ tj'ù *J'y vais avec toi.* je/avec/tu/aller

■ Le verbe **tsouò,** *s'asseoir* :

tj'ǐng tsouò *Asseyez-vous, svp.* /prier de/asseoir

• **tsouò,** *s'asseoir* signifie également *prendre (un moyen de transport).*

ouǒ pòu hsiǎng tsouò fēï-tjī *Je n'ai pas envie de prendre l'avion.*
/je/ne pas avoir envie/asseoir/avion

• dans ce sens, c'est également une préposition (*en + moyen de transport)* qui précède le verbe :

ouǒ pòu hsiǎng tsouò fēï-tjī tj'ù Pā-lí
/je/ne as/avoir envie/en/avion/aller/Paris
Je n'ai pas envie d'aller à Paris en avion.

■ **Les chiffres de 20 à 99.**

• les multiples de 10 se forment par un chiffre suivi de 10 :

èr-ch.´	二十	*20*	/deux/dix
s.`-ch.´	四十	*40*	/quatre/dix
lìòou-ch.´	六十	*60*	/six/dix
pā-ch.´	八十	*80*	/huit/dix
sānn-ch.´	三十	*30*	/trois/dix
ǒu-ch.´	五十	*50*	/cinq/dix
tj'ī-ch.´	七十	*70*	/sept/dix
tjiǒou-ch.´	九十	*90*	/neuf/dix

• les nombres entre les dizaines (23, 45, 78, etc.) se forment en ajoutant l'unité après le nombre des dizaines :
èr-ch.´ èr 二十二 *22* /deux/dizaine+deux

ǒu-ch.´ sānn 五十三 *53* /cinq/dizaine+trois

tjiǒou-ch.´ jiǒou 九十九 *99* /neuf/dizaine+neuf

A9 Entraînez-vous !

A Que veut dire en français ?

1. **ouŏ pòu hsĭ-houānn k'ànn tiènn-ch.̀**
2. **t'ā tsouèï hsĭ-houānn tsouò houŏ-tch'ē**
3. **nĭ hsĭ pòu hsĭ-houānn ióou-iŏng**
4. **ouó iŏou sānn ch.́ fènn Fă-ouénn pào-tch.̆**

B Comment dire en chinois ?

1. Je n'ai pas envie d'aller faire les courses avec elle
2. Elle n'aime pas prendre l'avion
3. Aimez-vous écouter la radio ?
4. J'ai 87 yuans sur moi

SOLUTIONS

A

1. Je n'aime pas regarder la télévision
2. Il/elle préfère prendre le train
3. Aimes-tu nager ?
4. J'ai 30 revues françaises

B

1. **ouŏ pòu hsiăng kēnn t'ā tj'ù măï tōng-hsi**
2. **t'ā pòu hsĭ-houānn tsouò fēï-tjī**
3. **nínn hsĭ(-houānn) pòu hsĭ-houānn t'īng chōou-īnn-tjī**
4. **ouŏ chēnn-chang tàï pā-ch.́ tj'ī k'ouàï tj'iénn**

■ Écriture chinoise et alphabet

Pourquoi les Chinois n'ont-ils pas adopté un alphabet ?
La transcription **pinyin**, basée sur l'anglais, utilisée en République populaire de Chine depuis 1958, a été conçue à l'origine pour transcrire les caractères dans l'alphabet latin, celui-ci devant les supplanter un jour. Le **pinyin** s'est imposé dans toutes les publications en langues non-chinoises mais n'a pas réussi à atteindre son but ultime (voir p.160).
Une des raisons en est, en dehors de l'attachement légitime à un système vieux de plus de 3000 ans, que la langue littéraire ne peut être alphabétisée car le nombre de mots monosyllabiques homophones est trop grand. Par exemple, un dictionnaire ordinaire comprend plus de 40 caractères prononcés **lì**.
Ce qui revient à dire que l'alphabétisation rendrait l'accès quasiment impossible à tout texte antérieure au XXème siècle, ainsi que l'accès aux arts qui y sont liés comme la calligraphie et la peinture.(souvent accompagnée de poèmes).

A10 J'ai, je suis.../Je ne suis pas, n'ai pas...

Je/j'ai...(état)/je suis...

1. froid
2. faim
3. fatigué(e)

Est-ce que tu...(qualité)

4. es malade ?
5. es en colère ?

Ceci est...

6. bon marché
7. trop cher
8. vraiment bon

Je suis...(état)

9. occupé(e)
10. très assoiffé(e)/J'ai très soif.
11. extrêmement content(e)
12. Je ne peux pas t'aider parce que je suis occupé(e)

Je n'ai pas/je se suis pas...

13. Je ne suis pas fatigué(e)
14. Je n'ai pas trop faim
15. Je ne suis pas très content

■ **Prononciation** : récapitulation

• les syllabes du chinois sont constituées d'une initiale consonantique (A9), d'une finale (A8) et d'un ton (A2). La consonne initiale peut être absente et la syllabe ne comprend alors qu'une finale et un ton : **iào** *vouloir*, **è** *avoir faim,etc*... Certaines syllabes ne portent pas de ton (syllabes au ton léger, A5).

• les francophones doivent s'efforcer de réaliser correctement :
- l'opposition entre consonne expirée (avec une forte expiration d'air) et non-expirée : **p'/p, t'/t**, etc...(A3, A4).
- les tons (qui n'ont rien d'insurmontable, puisque 1/3 de l'humanité parle des langues à tons).

A10 ouŏ... le/ouŏ pòu...

ouŏ... 我
1. lĕng le 冷了 /avoir froid/**le**
2. è le 饿了 /avoir faim/**le**
3. lèï le 累了 /être fatigué/**le**

nĭ... 你
4. pìng le ma ? 病了吗 /être malade/**le**
5. chēng-tj'ì le ma ? 生气了吗 /être en colère/**le**/est-ce que

tchèï-ke... 这个 /ceci
6. hĕnn p'iénn-i 很便宜 /très/bon marché
7. t'àï kouèï 太贵 /trop/cher
8. tchēnn hăo-tch'ī 真好吃 /vraiment/bon

ouŏ.... 我
9. hĕnn máng 很忙 /très/être occupé
10. k'ĕ te hĕnn 渴得很 /avoir soif/**degré**/très
11. fēï-tch'áng kāo-hsìng 非常高兴 /extrèmement/être content
12. īnn-oueï hĕnn máng souó-ĭ pòu néng pāng-tchòu nĭ
因为很忙所以不能帮助你
/parce que/très/occupé/c'est pourquoi/ne pas/pouvoir/aider/toi

ouŏ póu 我不 /je/ne pas
13. ...lèï 累 être fatigué
14. ...t'àï è 太饿 /trop/avoir faim
15. ...t'àï kāo-hsìng 太高兴 /trop/être content

■ **Prononciation** : Changements de ton (2)

• changements de ton de ī, *un*.
ī, *un*, *une*, se prononce au :
premier ton dans une énumération ou un numéro.
deuxième ton quand il est suivi d'une syllabe au 4e ton : **í liàng**
quatrième ton dans les autres cas : **ì tchāng**, **ì pĕnn**.

• changements du troisième ton :
Si deux syllabes au 3e ton se suivent, la première se prononce au deuxième ton : **ouŏ măï**, *j'achète* se prononce **ouó măï**

• le ton léger (A5) est plus bref que les autres tons et sa hauteur dépend de la syllabe tonique qui le précède. Seule la pratique avec un sinophone (ou la cassette de ce cours) vous permettra de le réaliser correctement.

A10 Constructions & remarques

- Les adjectifs qui expriment une qualité ou un états sont des verbes en chinois :
  Tchōng-kouó tch'á hǎo *Le thé chinois est bon.* /Chine/thé/être bon

  Ce type de phrase implique une comparaison. Pour donner une valeur générale, on fait précéder le verbe qualificatif d'un adverbe tel que **hĕnn**, *très* ou **tchēnn**, *vraiment :*
  Tchōng-kouó tch'á hénn hǎo *Le thé chinois est bon..* (En général, sans idée de comparaison avec d'autres sortes de thé.)

- les formes négatives utilisent la négation **pòu**, comme le verbe **ch.̀** , *être :*
  ouŏ póu è *je n'ai pas faim* /je/ne pas avoir faim

- les formes interrogatives soit se forment avec **ma**, en fin de phrase, soit avec l'interrogation alternative :

  Tchōng-kouó tch'á hǎo ma ? *Le thé chinois est-il bon ?*
  /Chine/thé/être bon/est-ce que ou bien :

  Tchōng-kouó tch'á hǎo pòu hǎo ? /Chine/thé/être bon/ne pas/être bon)

- **pòu hĕnn**, *pas très,* **pòu t'àï**, *pas trop* :

  tch'á pòu hénn hǎo *Le thé n'est pas très bon.* /thé/ne pas/très/être bon

- Les adjectifs qui expriment un état inconfortable ou désagréable sont suivis de la particule finale **le**, qui indique un fait nouveau ou un état actuel :
  ouŏ pìng le : *Je suis malade.* /je/être malade/**le**

  t'ā s.̌ le *Il est mort* /il/mourir/**le**

- **t'àï**, *trop,* se dit devant un adjectif :

  lú-kuănn t'àï kouèï *L'hôtel est top cher.* /hôtel/trop/être cher

- **póu t'àï** signifie *pas trop*

  lú-kuănn póu t'àï kouèï *L'hôtel n'est pas trop cher.*
  /hotel/ne pas/trop/être cher

- **t'àï...le** signifie un superlatif laudatif :

  t'àï hăo le! *Que c'est bien !* /trop/être bien/**le**

- **te hĕnn** après un adjectif signifie *très* (sens plus fort que **hĕnn**, *très,* devant un adjectif)
  kouèï te hĕnn *C'est (vraiment) très cher.*

A10 Entraînez-vous !

A Que veut dire en français ?

1. **ouó hĕnn lèï**
2. **Tchōng-kouó ts'àï tsouèï hăo-tch'.¯**
3. **tchèï ke pòu hĕnn p'iénn-i**
4. **nĭ è le ma ?**

B Comment dire en chinois ?

1. Cette voiture est trop chère.
2. Il a quarante sept ans.
3. Je suis vraiment très occupé(e) aujourd'hui.
4. J'ai soif.

SOLUTIONS

A

1. Je suis fatigué(e).
2. La cuisine chinoise est la meilleure.
3. Celui-ci n'est pas très bon marché.
4. As-tu faim ?

B

1. **tchèï liàng tj'ì-tch'ē t'àï -kouèï**
2. **t'ā s.` -ch.´ tj'ī souèï**
3. **ouŏ tjīnn-t'iēnn máng te hĕnn**
4. **ouó k'ĕ le**

■ Deux caractères utiles :

• les caractères 男 **nánn**, *masculin/homme* et 女 **nŭ**, *féminin/femme*, sont les seuls vraiment utiles quotidiennement, bien qu'ils soient généralement accompagnés de petits personnages explicites. On les voit de loin dans tout lieu public, mais il vaut souvent mieux éviter d'en avoir besoin, particulièrement à la campagne.

• le caractère 男 **nánn**, est composé de deux éléments qui sont eux-mêmes des caractères : 力 **lì**, *force* et 田 **t'iénn**, *champ*. Le caractère 男 peut donc se comprendre comme : *celui qui travaille dans les champs*.

• le caractère 女 **nŭ** est censé représenter, dans sa forme la plus ancienne, une femme tenant dans ses bras un enfant.

Écriture :

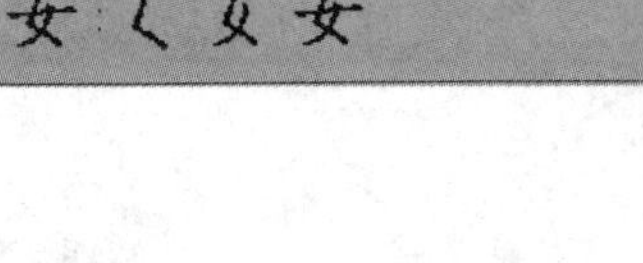

男 : 丨 ㄇ 冃 田 田 男 男

女 : 𡿨 女 女

A11 Comment ?

Comment (de quelle façon, moyen)...?

1. est-ce arrivé(e) ?
2. as-tu appris le chinois ?
3. s'écrit ce caractère ?
4. dit-on cela en chinois ?
5. es-tu venu de Canton ?
6. faire ?
7. se sert-on des baguettes ?

Comment (se fait-il que)...? ; pourquoi...?

8. Comment se fait-il qu'il ne soit pas venu ?
9. Pourquoi n'y vas-tu pas ?
10. Comment êtes-vous au courant de cette affaire ?
11. Comment vous sentez-vous ?

Comment (état)...?

12. te sens-tu/ comment vas-tu ?
13. va votre mère ?
14. est l'hiver à Pékin ?

■ **Prononciation :**

- **ue** (dans **hsue**) se prononce comme *h<u>uée</u>*
- <u>Rappel</u> : **oou** (dans **Kouăng-tchōou**) se prononce *o + ou*

A11 tsĕm-me ?/ tsĕm-me-iàng ?

tsĕm-me...? 怎么

1. tchèï ch.` tsĕm-me fā-chēng te ? 这是怎么发生的
   /ceci/être/comment/se produire/**te**
2. nĭ ch.` tsĕm-me hsué-houèï Tchōng-ouénn te ?
   你是怎么学会中文的
   /tu/être/comment/étudier-savoir/chinois/**te**
3. tchèï ke hànn-ts.` tsĕm-me hsiĕ ? 这个汉字怎么写
   /ce/unité/caractère chinois/comment/écrire
4. tchèï ke Tchōng-ouénn tsĕm-me chouō ?
   这个中文怎么说 /ce/unité/(en) chinois/comment/dire
5. nĭ ts'óng Kouăng-tchōou ch.` tsĕm-me láï te ?
   你从广州是怎么来的 /tu/de/Canton/être/comment/venir/**te**
6. tsĕm-me pànn ? 怎么办 /comment/faire
7. tsĕm-me iòng k'ouàï-ts. ? 怎么用快子
   /comment/utiliser/baguettes

tsĕm-me...? 怎么

8. t'ā tsĕm-me méï láï ? 他怎么没来
   /il/comment/ne pas avoir/venir
9. nĭ tsĕm-me póu tj'ù ? 你怎么不去 /tu/comment/ne...pas/aller
10. nĭ tsĕm-me houèï tch.¯-tào tchè tjiènn ch.` ?
    你怎么会知道这件事 /tu/comment/pouvoir/savoir/ce/unité/affaire
11. nĭ tsĕm-me le ? 你怎么了 /tu/comment/**le**

tsĕm-me-iàng...? 怎么样 /être comment

12. nĭ tsĕm-me-iàng ? 你怎么样 /être comment
13. nĭ mā-ma te chēnn-t'ĭ tsĕm-me-iàng ?
    你妈妈的身体怎么样 /tu/maman/de/corps/être comment
14. Pĕï-tjīng te tōng-t'iēnn tsĕm-me-iàng ?
    北京的冬天怎么样 /Pékin/**te**/hiver/être comment

■ Caractères simplifiés et non-simplifiés

Il existe deux systèmes de caractères : les caractères traditionnels ou “compliqués” (**fán-t'ĭ-ts.`**) utilisés à Taiwan, Hong-Kong et les communautés chinoises à l'étranger (**houá-tj'iáo**) et les caractères “simplifiés” (**tjiénn-pĭ-ts.`**), qui comprennent un nombre réduit de traits, employés en République Populaire de Chine et à Singapour. Les caractères “simplifiés” ont été créés après la révolution de 1949 pour aider à l'alphabétisation de la population.
Ce sont ces derniers qui sont utilisés dans ce livre.

Constructions & remarques

■ Pour insister sur un fait passé ou général on utilise une expression composée du verbe **ch.`** . *être*, et de la particule grammaticale **te** en fin de phrase :
ouŏ ch.` tsouó-t'iēnn láï te *C'est hier que je suis venu(e).*
/je/être/hier/venir/**te**
chāng-tiènn ch.` pā tiĕnn tchōng k'aï-ménn te *C'est à 8 heures que les boutiques ouvrent.* /boutique/être/huit/heure/horloge/ouvrir/**te**

• la forme négative de cette construction se forme avec **póu ch.` ...te** (français : *ce n'est pas ... que...*).
ouŏ póu ch.` tsouó-t'iēnn láï te *Ce n'est pas hier que je suis venu(e)..*
/je/ne pas/être/hier/venir/ **te**

• la forme interrogative est soit **ma**, en fin de phrase soit la forme alternative : **ch.` póu ch.`** ... **te :**
nĭ ch.` tsouó-t'iēnn tào te ma ? *Est-ce hier que tu es arrivé(e) ?*
/tu/être/hier/arriver/**te**/est-ce que
nĭ ch.` póu ch.` tsouó-t'iēnn tào te ? *Est-ce hier que tu es arrivé(e) ?* /tu/être/ne pas/être/hier/arriver/ **te**

■ **iòng** est un verbe signifiant *utiliser*, *se servir de* :
ouŏ póu iòng k'uàï-ts. *Je ne me sers pas des baguettes.*
/je/ne pas/utiliser/baguette/

• **iòng**, comme préposition, signifie *au moyen de*, *avec* :

ouŏ iòng máo-pĭ hsiĕ hànn-ts.`
J'écris les caractères chinois avec un pinceau
/je/avec/pinceau/écrire/caractère chinois

■ **tsĕm-me**, *comment, de quelle manière* est un adverbe alors que **tsĕm-me-iàng,** *être comment*, est un verbe.

■ **tchèï ke**, *celui-ci* et **nèï ke**, *celui-là*, s'emploient sans nom après le classificateur quand on désigne quelque chose.

nèï ke touō-chăo tj'iénn ? *Combien coûte celui-là ?*
/ce/unité/combien/argent
tchèï ke hăo ma ? *Est-ce que celui-ci est bien ?* /ce/unité/bien /est-ce que

■ La **négation d'un fait passé** s'exprime au moyen de la négation du verbe *avoir*, **mēï iŏou** (comme en français) ou simplement **mēï** :

t'ā tsouó-t'iēnn mēï laï *Elle n'est pas venue hier.*
/elle/hier/ne pas avoir/venir
ouŏ mā-ma mēï iŏou kēï ouŏ tă tiènn-houà
ma maman ne m'a pas téléphoné.
/je/maman/ne pas avoir/pour/moi/faire/téléphone

A11 Entraînez-vous !

A Que veut dire en français ?

1. **nǐ ch.` tsěm-me láï te ?**
2. **nǐ tsěm-me tch.¯-tào ?**
3. **“Paris” Tchōng-ouénn tsěm-me chouō ?**
4. **tchèï ke lú-kouǎnn tsěm-me-iàng ?**

B Comment dire en chinois ?

1. C’est hier que je suis allé(e) au cinéma
2. Es-tu allé en Angleterre en avion ?
3. Comment est le nord de la Chine ?
4. Il ne veut pas venir. Que faire ?

SOLUTIONS

A

1. Comment es-tu venu(e) ?
2. Comment le sais-tu ?
3. Comment dit-on "Paris" en chinois ?
4. Comment est cet hôtel ?

B

1. **ouǒ ch.` tsouó-t’iēnn tj’ù k’ànn tiènn¯-ĭng te**
2. **nǐ ch.` tsouò fēï-tjī tào īng-kouó tj’ù te ma ?**
3. **Tchōng-kouó te pěï-fāng tsěm-me-iàng ?**
4. **t’ā póu iào láï. Tsěm-me pànn ?**

■ **moments de la journée :**

tsǎo-chang	早上	*matin*	**chàng-ǒu**	上午	*matinée*
tchōng-ǒu	中午	*midi*	**hsià-ǒu**	下午	*après-midi*
ouǎnn-chang	晚上	*soir*	**iè-li**	夜里	*la nuit*

■ **les jours proches :**

tjīnn-t’iēnn	今天	*aujourd'hui*
tsouó-t’iēnn	昨天	*hier*
tj'iénn-t'iēnn	前天	*avant-hier*
tà tj’iénn-t’iēnn	大前天	*avant avant-hier, il y a trois jours*
míng-t’iēnn	明天	*demain*
hòou-t’iēnn	后天	*après-demain*
tà-hòou-t’iēnn	大后天	*après après-demain, dans trois jours*

A12

Qui/quoi

Qui...?

1. est ce monsieur ?
2. est votre directeur général ?
3. À qui est cette voiture ?
4. À qui as-tu téléphoné ?

Quel...?

5. De quel pays êtes-vous ?
6. Dans quel hôtel logez-vous ?
7. En quelle année ?
8. Quelle sorte de travail fais-tu ?

Que/quoi...?

9. voulez-vous boire ?
10. Qu'étudiez-vous ?
11. À quoi ça sert ?
12. Quel est votre nom ? (votre nom est quoi ?)

Qu'est-ce que...?

13. c'est ?
14. il y a ?
15. vous cherchez ?

■ **Prononciation :**

• **tchè**, **tchèi**, *ce... -ci*, **nà**, **nèï**, *ce...-là*, et **nă**, **nĕï**, *quel*, *lequel*. Ces trois mots ont chacun deux prononciations. Celle qui est donnée en premier est la prononciation officielle (radio, cours de langue,etc...). La prononciation courante est la seconde forme. Dans les enregistrements, nous utilisons indifféremment les deux formes.

A12 chéï/chém-me

chéï, chouéï... 谁 /qui/

1. tchèï ouèï hsiēnn-cheng ch.` chéï ? 这位先生是谁
   /ce/unité/monsieur/être/qui
2. chéï ch.` nínn te tjīng-lĭ ? 谁是您的经理
   /qui/être/vous/**te**/directeur
3. tchèï liàng tch'ē ch.` chéï te ? 这辆车是谁的
   ce/unité/voiture/être/qui/**te**
4. nĭ kĕï chéï tă tiènn-houà le ? 你给谁打电话了
   /tu/à/qui/faire/téléphone/passé

nĕï, nă... 哪

5. nĭ ch.` nĕï-kouó-jénn ? 你是哪国人
   /tu/être/quel/pays/personne
6. nĭ tchòu tsàï nĕï ke lú-kouănn ? 你住在哪个旅馆
   /tu/habiter/à/quel/unité/hôtel
7. nĕï ì niénn ? 哪一年 /quel/une/année
8. nĭ tsouò nĕï ì tchŏng kōng-tsouò ? 你作哪一种工作
   /tu/faire/quel/un/sorte/travail

chém-me...? 什么

9. nĭ iào hē chém-me ? 你要喝什么
   /tu/vouloir/boire/quoi
10. nĭ hsué-hsí chém-me ? 你学习什么
    /tu/étudier/quoi
11. tchèï iŏou chém-me iòng ? 这有什么用
    /ceci/avoir/quoi/utile
12. nĭ tjiào chém-me míng-ts. ? 你叫什么名字
    /tu/appeler/quoi/nom

13. tchèï ch.` chém-me ? 这是什么 /ce/être/quoi
14. chém-me ch.` ? 什么事？ /quoi/affaire
15. nĭ tchăo chém-me ? 你找什么 /tu/chercher/quoi

■ **Prononciation :**

• **chouéï**, *qui*, est prononcé habituellement **chéï**. **chouéï** est moins usuel, mais c'est la prononciation officielle du mot. Vous l'entendrez souvent à la radio, à la télévision ou dans les discours officiels.

• **chém-me** est la prononciation familière de **chén-mo.**

• essayez de ne pas confondre les tons de **nà**, **nèï**, *ce...-là* et **nă**, **nĕï**, *quel*, *lequel*, qui ne se distinguent que par le ton :
nèï ke jénn *cette personne-là*
nĕï ke jénn ? *quelle personne ?*

A12 Constructions & remarques

■ **Omission** du nom après **te**. Le nom qui suit **te**, indice du complément de nom (L.4), n'est pas énoncé quand on sait de quoi il s'agit d'après le contexte ou la situation. **te**, signifie alors *celui de, celle de, ceux de, à* (indiquant la possession), comme en français : *ce livre est à moi, c'est le mien*, etc.

pào ch.` Ouáng t'óng-tch.` te *Le journal est au camarade Wang* ou *Les journaux sont au camarade Wang.*
/journal/être/Wang/camarade/**te**

tchèï ch.` chéï te ? *Ceci est à qui ?* /ceci/être/qui/**te**
Dans la phrase précédente,on désigne ce dont il s'agit.

tchèï ch.` Tchōng-ouénn te *C'est en chinois.* ceci/être/langue chinoise/**te**

■ **tchè**, **tchèi**, *ce ... -ci*, **nà**, **nèï**, *ce ...-là*, et **nă**, **nĕï**, *quel, lequel.*
Les mots ci-dessus sont des adjectifs démonstratifs, et se disent avant les nombres : **tchèï liăng ke Fă-kouó jénn**, *ces deux Français* (ce/deux/unité/Français)
nèï sānn liàng j.` -pĕnn tj'ì-tch'ē ? *ces trois voitures japonaises*
/ce...là/trois/unité/Japon/voiture

• rappel : si le chiffre est *un*, il est facultatif (A6) :
nĕï-kouó-jénn ? *une personne de quel pays ?* quel/pays/personne ou bien :

• **tchè**, **tchèi**, *ce ... -ci*, **nà**, **nèï**, *ce ...-là*, sont aussi des pronoms qui s'utilisent devant **ch.`** *être* ou **tjiào** *s'appeler :*
nèï ch.` ouŏ te *C'est à moi.* cela/être/moi/**te**

nèi tjiào chém-me ? *Comment s'appelle cela ?* /cela/s'appeler/quoi

■ **chém-me**, *que, quoi*, s'emploie comme pronom :
nĭ chouō chém-me ? *Qu'est-ce que tu dis ?* /tu/dire/quoi

• comme adjectif, **chém-me** signifie *quelle sorte de..., quel :*
t'ā ch.` chém-me jénn ? *Quelle sorte d'homme est-il ?*
/il être/quoi/personne

■ **le** indicateur du **passé**

• **le** en fin de phrase exprime l'action nouvelle ou le changement d'état (A6, A10).

• **le** peut aussi (A4) exprimer l'action accomplie (français : *avoir* ou *être* + verbe) avec des verbes d'actions. Nous notons ce sens de **le**, par "/passé/" dans le mot à mot :
t'ā-menn tōou tsŏou le *Ils sont tous partis.* /ils/tous/partir/passé

háï-ts. tch'.ˉ fànn le *Les enfants ont mangé.*
/enfant/manger/nourriture/passé

A12 Entraînez-vous !

A Que veut dire en français ?

1. **nǐ hsǐ-houānn něï ì tchŏng tj'ì-tch'ē ?**
2. **tchèï ch.` chéï te tiènn-houà ?**
3. **t'ā tjiào chém-me míng-ts. ?**
4. **nǐ tchăo chéï ?**

B Comment dire en chinois ?

1. En quelle année est-il allé en Chine .
2. Est-ce que ceci est à vous (singulier) ?
3. Ce journal est-il en français ?
4. De quel pays êtes-vous (pluriel) ?

SOLUTIONS

A

1. Quelle sorte de voiture aimes-tu ?
2. C'est un coup de téléphone pour qui ?
3. Comment s'appelle-t-il ?
4. Qui cherchez-vous ?

B

1. **t'ā ch.` nĕï ì niénn tào Tchōng-kouó tj'ù te ?** 2. **tchèï ch`. nínn te ma ?**
3. **tchèï fènn pào-tch.ˇ ch` Fă-ouénn te ma ?**
4. **nǐ-menn ch.` nĕï kouó jénn ?**

■ **Écrire une adresse sur une enveloppe :**

• pour écrire une adresse, on procède du général au particulier : on écrit d'abord le pays et on finit par le nom du destinataire.

Tchōng-kouó *Chine* 中国
Fóu-tjiènn chĕng *Province du Fujian* 福建省
Fóu-tchōou ch.` *Ville de Fuzhou* 福州市
ŏu-ī lòu, 30 hào *n°30, rue du 1er mai* 五一路，三十号
Ouáng Hsué-ouénn *Wang Xuewen* 王学文

• l'adresse de l'expéditeur, rédigée de la même façon, se met au recto de l'enveloppe.
On peut parfaitement écrire une adresse en anglais, en respectant les principes ci-dessus.

A13 Pourquoi..?

Pourquoi...

1. pas ?
2. êtes-vous en retard ?
3. est-il fâché ?
4. ne me l'a-t-on pas dit ?
5. attendons-nous si longtemps ?
6. fait-il cela ?
7. êtes-vous venu(e) ?
8. veux-tu encore de l'argent ?

Je ne sais pas pourquoi...

9. il n'est pas venu
10. il y est allé

Je ne comprends pas pourquoi...

11. il y a ce problème
12. tu as acheté cette antiquité

Parce que...

13. Je n'irai pas parce que j'ai un rendez-vous
14. Je ne l'ai pas acheté parce que c'était trop cher

■ **Vocabulaire :**

• **ouèï-chém-me** est composé de **ouèï**, *pour* et de **chém-me**, *quoi*.

• **míng-pâï**, *comprendre*. Equivalent très courant : **tǒng** 懂
nínn tǒng pòu tǒng tchōng-ouènn ? *est-ce que vous comprenez le chinois ?* /vous/comprendre/ne pas/comprendre/langue chinoise

A13 ouèï-chém-me...?

ouèï-chém-me... 为什么

1. pòu ? 不 /ne...pas
2. nǐ ouèï-chém-me láï-ouǎnn le ? 你为什么来晚了
   /tu/pourquoi/arriver en retard/**le**
3. t'ā ouèï-chém-me chēng-tj'ì le ? 他为什么生气了
   /il/pourquoi/être en colère/**le**
4. ouèï-chém-me méï iǒou t'ōng-tch.ˉ ouǒ ?
   为什么没有通知我 /pourquoi/ne pas avoir/communiquer/je
5. ouǒ-menn ouèï-chém-me těng tchèm-me tch'áng ch.ˊ-tjiēnn ? 我们为什么等这么长时间
   /nous/pourquoi/attendre/autant/longtemps
6. t'a ouèï-chém-me tchèï-iàng tsouò ? 他为什么这样作
   /il/pourquoi/ainsi/faire
7. nǐ-menn ouèï-chém-me tào tchèr láï ?
   你们为什么到这儿来 /vous/pourquoi/à/ici/venir
8. nǐ ouèï-chém-me háï iào tj'iénn ? 你为什么还要钱
   /tu/pourquoi/encore/vouloir/argent

ouǒ pòu tch.ˉ-tào t'ā ouèï-chém-me... 我不知道他为什么
/je/ne pas/savoir/pourquoi...

9. ...méï láï 没来 /ne pas avoir/venir
10. ...tj'ù nà-li 去那里 /aller/là-bas

ouǒ pòu míng-páï ouèï-chém-me ?... 我不明白为什么...
/je/ne pas/comprendre/pourquoi...

11. ...houèï fā-cheng tchèï ke ouènn-t'í ? 会发生这个问题
    /pouvoir/se produire/ce/unité/problème
12. ...nǐ mǎï le tchèï tjiènn kóu-tǒng ? 你买了这件古董
    /tu/acheter/passé/ce/unité/antiquité

īnn-ouèï... 因为

13. ouǒ póu tj'ù īnn-ouèï iǒou iuē-houèï
    我不去因为有约会 /je/ne pas/aller/parce que/avoir/rendez-vous
14. īnn-ouèï t'àï kouèï, souó-ǐ méï mǎï
    因为太贵，所以没买
    /parce que/trop/cher, c'est pourquoi/ne pas avoir/acheter

■ **Prononciation :**

- **i** se prononce comme en français
- **inn** se prononce comme *ine* dans *mine*.
- **ing** se prononce *ign* comme dans *ligne*

Constructions & remarques

■ **īnn-oueï**, *parce que*, et **souó-ĭ**, *c'est pourquoi*, s'emploient conjointement dans les phrases à deux propositions. **īnn-oueï**, se place au début de la première proposition et **souó-ĭ**, au début de la seconde (l'ordre des propositions est inverse de celui du français) :
īnn-oueï t'ā pìng le, **souó-ĭ méï láï**
Il n'est pas venu parce qu'il est malade.
/parce que/il/être malade/**le**, c'est pourquoi/ne pas/venir

• on peut n'utiliser que **īnn-oueï** dans la seconde proposition (ordre des propositions comme en français) :
tā méï láï īnn-oueï pìng le *Il n'est pas venu parce qu'il est malade.*
/il/ne pas/venir/parce que/être malade/**le**

■ Rappel : la particule **le** exprimant l'action accomplie (ou antérieure à une autre, voir A20).
le s'utilise en fin de phrase avec des verbes d'action (A6,10,12) s'il n'y a pas de complément ou si celui-ci n'est pas chiffré :
t'ā tsouó-t'iēnn măï hsié le *Il a acheté des chaussures hier.*
/il/hier/acheter/chaussures/passé

le se dit après le verbe si le complément est précédé d'un nombre :
t'ā tsouó-t'iēnn măï le ì chuāng hsié
Il a acheté une paire de chaussures hier.
/il/hier/acheter/passé/un/paire/chaussures
ouŏ k'ànn le sānn pĕnn chōu *J'ai lu trois livres.*
/je/lire/passé/trois/unité/livre

• les formes interrogatives de **le** passé se forment soit avec **ma**, soit avec **le méï iŏou**, en fin de phrase :
La phrase : *As-tu acheté les billets ?* se dit :
nĭ măï p'iào le ma ? /tu/acheter/billet/passé/est-ce que
nĭ măï p'iào le méï iŏou ? /tu/acheter/billet/passé/ne pas avoir

• les réponses affirmatives se font par le verbe suivi de **le**, et les réponses négatives par **méï iŏou**, suivi ou non du verbe :
nĭ tch'.ˉ ouănn-fànn le méï iŏou ? *As-tu dîné ?*
/tu/manger/dîner/passé/ne pas avoir
tch'.ˉ le *Oui.*
méï iŏou *Non.*

• la forme négative de **le**, exprimant le passé se forme avec **méï iŏou**, ou **méi**, *ne pas avoir*, qui se dit avant le verbe mais sans **le** dans la phrase :
t'ā méï iŏou láï *Il n'est pas venu.* (il/ne pas/(avoir)/venir)

A13 Entraînez-vous !

A Que veut dire en français ?

1. **nǐ tsàï tchèr tĕng tuó-tjiŏou le ?**
2. **nǐ ouèi-chém-me tchòu tsàï nèï ke lú-kouănn ?**
3. **nǐ tch.¯-tào t'ā ch.` cheï ma ?**
4. **nǐ ouèi-chém-me hsué-hsí Tchōng-ouénn ?**

B Comment dire en chinois ?

1. J'ai un rendez-vous à huit heures du soir
2. Pourquoi vas-tu à Pékin ?
3. Sais-tu pourquoi il n'est pas venu ?
4. Je n'ai pas acheté cette antiquité parce qu'elle était trop chère

SOLUTIONS

A

1. Depuis combien de temps attends-tu ici ?
2. Pourquoi habites-tu dans cet hôtel ?
3. Sais-tu qui il est ?
4. Pourquoi étudies-tu le chinois ?

B

1. **ouŏ ouănn-chang pā tiĕnn iŏou iuē-houèï**
2. **nǐ ouèi-chém-me tào Pĕï-tjīng tj'ù ?**
3. **nǐ tch.¯-tào t'ā ouèi-chém-me meï láï ?**
4. **īnn-oueï tchèï tjiènn kóu-tŏng t'àï kouèï, suó-ĭ meï măï**

■ *Types de caractères chinois :*
Selon leur formation, on peut diviser les caractères en trois types principaux :
• les **pictogrammes** : ce sont les caractères qui représentent la stylisation de la réalité : 山 **chānn,** *montagne*, représente le dessin d'un pic montagneux. Citons également 毛, **máo**, *poil*, qui représente une chevelure, ou le caractère 象, **hsìang,** *éléphant*, dont la forme (avec un peu d'imagination) évoque encore la tête, la trompe, le corps et les pattes.
• **idéogrammes** : combinaisons de deux éléments de sens : 日, **j.`**, *soleil, jour*, et le caractère 月, **iuè**, *lune, mois*, forment le caractère 明, **míng,** *clarté*.
• **idéophonogrammes** : ils constituent 90% des caractères modernes. Il s'agit de caractères formés d'un élément de sens et d'un élément phonétique. La phonétique ayant évolué depuis la formation des caractères, l'élément phonétique est rarement proche de la prononciation actuelle. Ainsi, le caractère 河 **hé,** *rivière, fleuve*, a comme élément phonétique 可 **k'ĕ**

A14 Pouvoir/savoir

Pouvez-vous...?

1. parler un peu plus lentement ?
2. écrire le nom de l'hôtel ?
3. laisser votre adresse ?
4. dire combien ça coûte ?
5. m'indiquer la station de taxis ?
6. répéter encore une fois ?

Savez-vous...?

7. conduire une voiture ?
8. nager ?
9. parler chinois ?

Je ne sais pas...

10. parler anglais
11. chanter
12. Je ne fume pas **(en chinois : je ne sais pas fumer)**

Je ne peux pas...

13. vous informer/vous dire
14. marcher si loin
15. boire autant

■ **A noter également :**

• *on* n'existe pas en chinois et se traduit par l'absence de sujet :
tchèr pòu néng tch'ōou iēnn *On ne peut pas fumer ici.*
/ici/ne pas/pouvoir/fumer

• l'absence du sujet est fréquente quand il a déjà été exprimé dans la même phrase :
ouǒ póu tj'ù, īnn-ouèï iǒou iuē-houèï *Je n'y vais pas car j'ai un rendez-vous.* /je/ne pas/aller, parce que/avoir/rendez-vous

k'é-ǐ /houèï

nínn k'é-ǐ... 您可以 /vous/pouvoir

1. chouō mànn ì-tier ma ? 说慢一点儿吗
/parler/lent/un peu/est-ce que
2. hsiě-hsià lú-kouǎnn te míng-ts. ma ? 写下旅馆的名字吗
/noter/hôtel/**te**/nom/est-ce que
3. lióou-hsia nínn te tì-tch.ˇ ma ? 留下您的地址吗
/laisser/vous/**te**/adresse
4. chouō chouō touō-chǎo tj'iénn ma ? 说说多少钱吗
dire/dire/combien/argent/est-ce que
5. kēnn ouǒ chouō tch'ōu-tsōu-tj'ì-tch'ē tchànn tsàï nǎr ma ? 跟我说出租汽车站在哪儿吗
/à/je/dire/taxi/station/se trouver/où/est-ce que
6. tsàï chouō í piènn ma ? 再说一遍吗
/de nouveau/dire/une/fois/est-ce que

nǐ houèï póu houèï... 你会不会... /tu/savoir/ne pas/savoir

7. k'āï tch'ē ? 开车 /conduire/voiture
8. ióou-iǒng ? 游泳
9. chouō Tchōng-kouó-houà ? 说中国话
/parler/langue chinoise

ouǒ póu houèï... 我不会 /je/ne pas/savoir

10. chouō īng-ouénn 说英文 /parler/langue anglaise
11. tch'àng-kē 唱歌 /chanter/chanson
12. tch'ōou-iēnn 抽烟 /fumer/tabac

ouǒ pòu néng... 我不能 /je/ne pas/pouvoir

13. kào-sou nínn 告诉您 /dire à/vous
14. tsǒou te tchèm-me iuǎnn 走得这么远
/marcher/**degré**/autant/loin
15. hē te tchèm-me touō 喝得这么多
/boire/**degré**/autant/beaucoup

■ **Les chiffres de 99 à 9999 :**

• **pǎi**, *cent*, 百 et **tj'iēnn**, *mille*, 千 sont précédés des chiffres de 1 à 9 pour obtenir les centaines et les milliers :
pā pǎi *huit cent* 八百 **sānn tj'iēnn** *trois mille* 三千
ǒu tj'iēnn sānn pǎi *cinq mille trois cent* 五千三百 /cinq/mille/trois/cent
tjiǒou tj'iēnn tj'ī pǎi s.` -ch.´ liòou 9746 九千七百四十六
/neuf/mille/sept/cent/quatre-dix/six

• **líng**, *zéro* 零 s'emploie obligatoirement si il manque l'unité des dizaines :
pā pǎi líng sānn *803* /huit/cent/zéro/trois 八百零三

Constructions & remarques

■ **ì tiĕnn**, ou **ì tiĕr** (à Pékin),*un peu*, s'emploie devant un **nom non quantifiable**
t'ā iŏou ì tiĕnn tj'iénn *Il a un peu d'argent.* /il/avoir/un peu/argent

devant un nom quantifiable on utilise **tjĭ** *quelques*
t'ā iŏou tjĭ k'uàï tj'iénn *Il a quelques yuans.*
/il/avoir/quelques/yuan/argent

ì tiĕnn, *un peu* , après un adjectif signifie *un peu plus :*
chouō mànn ì-tiĕnn *parler un peu plus lentement* /parler/lent/un peu

■ **Pour préciser la manière dont est faite une action**, ou le degré qu'elle atteint, le chinois utilise la particule **te**, après le verbe et avant un adjectif (complément de degré) :
t'ā láï te tsăo *Il vient tôt.* il/venir/**degré**/tôt

• la négation et les adverbes se placent avant le verbe qualificatif et non avant le verbe :
nĭ chouō de póu k'ouàï *Tu ne parles pas vite.*
/tu/parler/**degré**/ne pas/vite

t'ā lái de pòu tsăo *Il ne vient pas tôt.* /il/venir/**degré**/ne pas/tôt

• formes interrogatives : **ma** en fin de phrase ou forme alternative portant sur l'adjectif :
t'ā láï te tsăo pòu tsăo ? *Vient-il tôt ?*
/il/venir/**degré**/être tôt/ne pas/être tôt

■ *Pouvoir* :

• **néng :** *avoir la capacité* ou *la possibilité* de faire quelque chose
nĭ néng t'í tchèï ke hsiāng-ts. ma ? *Peux-tu soulever cette valise ?*
/tu/pouvoir/soulever/ce/unité/valise/est-ce que

• **k'é-ĭ :** *avoir la possibilité* ou *la permission*
nĭ míng-t'iēnn k'é-ĭ pòu k'é-ĭ láï ? *Pourras-tu venir demain ?*
/tu/demain/pouvoir/ne pas/pouvoir/venir

pòu néng, *ne pas pouvoir* est la forme négative de **néng** et **k'é-ĭ**

ouŏ míng-t'iēnn pòu néng láï *Je ne pourrai pas venir demain*
/je/demain/ne pas/pouvoir/venir

• **houèï :** *pouvoir faire quelque chose qu'on a appris.*
nĭ houèï chouō Fă-ouénn ma ? *Savez-vous parler français ?*
/tu/savoir/parler/langue française/est-ce que

La négation de **houèï** est **póu huèï :**
ouŏ póu houèï tch'ōou iēnn *Je ne fume pas* /je/ne pas/savoir/fumer/tabac (en chinois on dit : *savoir* ou *ne pas savoir fumer*)

A14

Entraînez-vous !

A Que veut dire en français ?

1. **nínn houèï k'āï kōng-kòng tj'ì-tch'ē ma ?**
2. **ouǒ póu néng hsiě hànn-ts.**
3. **nínn houèï chouō īng-kouó-hoùa ma ?**
4. **t'ā hsué-hsí te hěnn k'ouàï**

B Comment dire en chinois ?

1. On ne peut pas faire comme ça
2. As-tu un peu d'argent ?
3. Ici on ne peut pas fumer
4. Répétez encore une fois

SOLUTIONS

A

1. Savez-vous (sing.) conduire un autobus ?
2. Je ne peux pas écrire le chinois
3. Savez-vous (sing.) parler anglais ?
4. Il/elle étudie vite

B

1. **pòu néng tchèï-iàng tsouò**
2. **nǐ iǒou ì-tiěnn tj'iénn ma ?**
3. **tchèr pòu néng tch'ōou iēnn**
4. **nínn tsàï chouō í piènn**

■ **Date : année et mois :**

• l'année s'exprime par les chiffres du millésime énoncés un par un suivis de **niénn**, *année* :
ī tjiǒou tjiǒou tj'ī niénn 一九九七年 *l'année 1997* /1/9/9/7/année
pā líng ī niénn 八零一年 *l'an 801* /8/0/1/année
en quelle année : **něï niénn**, 哪年 /quel/année

• les mois :
Les noms de mois se disent **iuè**, 月 *mois*, précédé des nombres de 1 à 12 : **í-iuè**, *janvier*, 一月 ; **èr-iuè**, *février*, 二月 ; (...) **ch.´-èr-iuè**, *décembre*, 十二月
en quel mois ? **tjǐ iuè ?** 几月 /combien/mois

• la date se dit dans le sens inverse du français :
ī tjiǒou tjiǒou liòou niénn èr-iuè 一九九六年二月 *février 1996*
/1/9/9/6/année/février

A15 Hier/aujourd'hui/demain

Qu'avez-vous fait hier ?

1. J'ai visité la Cité Interdite
2. J'ai acheté quelques mètres de soie
3. J'ai pris le train pour venir ici

Que ferez-vous demain ?

4. Je rentre en France
5. J'irai chez lui

Que faites-vous aujourd'hui ?

6. Je reste à la maison
7. J'ai un rendez-vous

Qu'êtes-vous en train de faire ?

8. Je suis en train de regarder la télé
9. Je suis juste en train de manger

Qu'allez-vous faire ?

10. Je vais aller au restaurant
11. Je vais bientôt sortir

Que venez-vous de faire ?

12. Nous venons de discuter avec lui
13. Je viens de le voir prendre l'ascenseur

■ **Réponse** à la question de la p.123 :

piǎo-tjiě
Cette *cousine* est en effet du coté maternel (le frère de ma *mère*), donc **piǎo**. Elle est plus âgée que moi, donc comme ma *sœur aînée* **tjiě**.

A15 tsouó-t'iēnn/tjīnn-t'iēnn/míng-t'iēnn

nǐ tsouó-t'iēnn tsouò chém-me le ? 你昨天作什么了
/tu/hier/faire/quoi/passé

1. ouǒ ts'ānn-kouānn kǒu-kōng le 我参观故宫了
   /je/visiter/cité interdite/passé
2. ouó mǎi le tjǐ mǐ s.¯-tch'óou 我买了几米丝绸
   /je/acheter/passé/quelques/mètre/soie
3. ouǒ tsouò houǒ-tch'ē tào tchèr lái le
   我坐火车到这儿来了 /je/assis en/train/à/ici/venir/passé

nǐ míng-t'iēnn tǎ-souànn tsouò chém-me ?
你明天打算作什么 /vous/demain/compter/faire/quoi

4. ouǒ houéï Fǎ-kouó tj`ù 我回法国去 /je/rentrer/France/aller
5. ouǒ tào t'ā tjiā tj'ù 我到他家去 /je/à/lui/famille/aller

nǐ tjīnn-t'iènn tsouò chém-me ? 你今天作什么
/tu/aujourd'hui/faire/quoi

6. ouǒ lióou tsàï tjiā-li 我留在家里 /je/rester/à/maison
7. ouó iǒou í ke iuē-houèï 我有一个约会
   /je/avoir/un/unité/rendez-vous

nǐ tsàï kànn chèm-me ? 你在干什么 /tu/en train de/faire/quoi

8. ouǒ tsàï k'ànn tiènn-ch.` 我在看电视
   /je/en train de/regarder/télé
9. ouǒ tchèng tsàï tch'.¯-fànn 我正在吃饭
   /je/juste/en train de/manger

nǐ iào tsouò chém-me ? 你要作什么 /tu/vouloir/faire quoi

10. ouǒ iào tj'ù fànn-kouǎnn le 我要去饭馆了
    /je/vouloir/aller/restaurant/**le**
11. ouǒ mǎ-chang iào tch'ōu-tj'ù le 我马上要出去了
    /je/tout de suite/vouloir/sortir/**le**

nǐ kāng-ts'áï tsouò chém-me ? 你刚才作什么
/tu/venir de/faire/quoi

12. kāng-ts'ái ouǒ-menn kēnn t'ā chāng-liàng
    刚才我们跟他商量 /à l'instant/nous/avec/lui/négocier
13. ouǒ kāng-kāng k'ànn t'ā chàng tiènn-t'ī
    我刚刚看他上电梯 je/venir de/voir/lui/monter/ascenseur

■ *Qu'il soit blanc ou noir, le chat qui attrape les souris est un bon chat* (Deng Xiaoping, voir p.109).

pǒu kuǎnn hēï māo páï māo, néng tchouā láo-chǒu tjiòou ch.` hǎo māo 不管黑猫白猫，能抓老鼠就是好猫
/pas/importer/noir/chat/blanc/chat, pouvoir/attraper/souris/alors/être/bon/chat

A15 Constructions & remarques

■ **Les temps en chinois**. Il n'y a pas de système complet de temps en chinois, mais divers procédés grammaticaux ou lexicaux.

• l'**action habituelle, passée, présente ou future** n'est pas exprimée :
t'a tch'áng-tch'áng láï *Elle venait, vient, viendra souvent.*
/elle/souvent/venir

On peut préciser le temps par un adverbe :
t'a ts'óng-tj'iénn tch'áng-tch'áng láï *Elle venait souvent autrefois.*
/elle/autrefois/souvent/venir

• l'**action ponctuelle future** ne s'exprime également que par des adverbes :
t'ā míng-ti'ènn pòu láï *Il ne viendra pas demain.*
/il/demain/ne pas/venir

• l'**action précise passée** est marquée par le suffixe **le**, soit en fin de phrase (A12), soit après le verbe (A13) :
ouŏ măï chōu le *J'ai acheté des livres.* /je/acheter/livre/passé
ouŏ măï le sānn pĕnn chōu *J'ai acheté trois livres.*
/je/acheter/passé/trois/unité/livre/

• le **présent en cours** se forme avec l'adverbe **tsàï**, *en train de*, ou **tchèng tsàï**, *juste en train de :*
t'ā tsàï tsouò chém-me ? *Qu'est-ce qu'il est en train de faire ?*
il/en train de/faire/quoi ?

• le **futur immédiat** (français : *aller* + verbe) est rendu en chinois par **iào**, *falloir, devoir, vouloir*, devant le verbe et **le** exprimant le changement d'état en fin de phrase :
ouŏ iào tsŏou le *Je vais partir.* je/vouloir/partir/**le**

• le **passé immédiat** (*venir de*) utilise les adverbes **ts'áï**, *à peine*, **kāng-ts'áï** ou **kāng-kāng**, *à l'instant*
t'ā kāng-ts'aï tsŏou *Elle vient de partir.* /elle/à l'instant/partir

■ **Négations** : la négation d'une action passée précise est **méi** ou **méï iŏou** (A11).
ouŏ méï iŏou măï chōu *Je n'ai pas acheté de livre.* (action passée)

• pour les autres temps, ou pour l'action habituelle, on utilise **pòu** :
ouŏ pòu măï chōu *Je n'achète(rai) pas de livre*
t'ā tj'ù-niénn pòu tch'áng-tch'áng lái *Il ne venait pas souvent l'année dernière.* /il/année dernière/ne pas/souvent/venir

• le verbe **ch.`**, *être*, les adjectifs (**hăo**, *bien*, etc.) et les verbes exprimant la volonté, la possibilité ou le devoir (verbes optatifs : **iào**, *vouloir*, **néng**, *pouvoir*, etc.) ont toujours **pòu** comme négation, quelque soit le temps de la phrase.

A15 Entraînez-vous !

A Que veut dire en français ?

1. **ouǒ tsouó-t'iēnn tào houǒ-tch'ē-tchànn tj'ù mǎï p'iào le**
2. **nǐ tsàï k'ànn chém-me ?**
3. **nǐ mǎï le jǐ mǐ s.¯-tch'óou ?**
4. **t'ā kāng-kāng ts'óng Chàng-hǎï houēï-láï**

SOLUTIONS

A

1. Je suis allé hier acheter des billets à la gare
2. Qu'est-ce que tu es en train de regarder ?
3. Combien de mètres de soie as-tu acheté ?
4. Il vient de revenir de Shanghai

■ **Date : jours du mois et jours de la semaine, date complète**

• *lundi à samedi* : 星期, **hsīng-tj'ī**, *semaine*, suivi des nombres de 1 à 6 :

hsīng-tj'ī ī 星期一 *lundi*	**hsīng-tj'ī èr** 星期二 *mardi*
hsīng-tj'ī-sānn 星期三 *mercredi*	**hsīng-tj'ī-s.`** 星期四 *jeudi*
hsīng-tj'ī-ǒu 星期五 *vendredi*	**hsīng-tj'ī-liòou** 星期六 *samedi*.

• *dimanche* **hsīng-tj'ī t'iēnn** 星期天 ou **hsīng-tj'ī j.`** 星期日.

• *Combien de semaines ?* **tjǐ ke hsīng-tj'ī ?** 几个星期
/combien /unité/semaine

• *Quel jour de la semaine ?* **hsīng-tj'ī tjǐ ?** 星期几 /semaine/combien

• le quantième du mois : nombre de 1 à 31 suivi de **hào**, *numéro* 号 : **èr hào** 二号, *le deux* ; **sānn hào**, *le trois* ; 三号, **sān ch.´ í hào**, *le trente et un*, 三十一号
le combien ? (du mois) : **tjǐ hào ?** 几号 /combien/numéro/
tjīnn-t'iēnn tjǐ hào ? *Le combien (du mois) sommes-nous aujourd'hui ?* 今天几号 ? /aujourd'hui/combien/numéro

• la date complète se dit dans le sens inverse du français :
ī tjiǒou tjiǒou tj'ī niénn ch.´-iuè ch.´-èr hào hsīng-tj'ī-sānn
一九九七年十月十二号星期三
mercredi, le 12 octobre 1997 /1/9/97/année/octobre/douze/mercredi

ī tjiǒou tjiǒou pā niénn í-iuè èr hào hsīng-tj'ī-ǒu
一九九八年一月二号星期五
vendredi, le 2 janvier 1998 /1/9/98/année/janvier/deux/vendredi

A16 Combien de fois/déjà/jamais

Combien de fois

1. Combien de fois as-tu rencontré Monsieur Wang ?
2. Je l'ai rencontré deux fois
3. Combien de fois avez-vous voyagé en Asie ?
4. J'ai voyagé en Asie bon nombre de fois

Déjà

5. J'ai déjà bu de l'alcool chinois à Paris
6. Avez-vous déjà visité la "Rue des Antiquaires" ?
7. Avez-vous déjà lu ce livre ?
8. Je suis déjà venu une fois en Chine
9. J'ai vu ce film trois fois

Jamais

10. Je ne suis jamais allé(e) en Chine
11. Je n'ai jamais mangé de la cuisine chinoise
12. Il n'a jamais neigé ici
13. N'avez-vous jamais appris le chinois ?

■ **Proverbes chinois : tch'éng-iŭ** 成语. Ils sont toujours très usités en chinois.

Il s'agit d'expressions comptant souvent quatre caractères tirées d'anecdotes, de contes anciens, de textes classiques ou plus simplement du "bons sens" populaire.
Par exemple, **pēï kōng ché ĭng** *l'arc dans la tasse comme ombre d'un serpent* 杯弓蛇影 (tasse/arc/serpent/ombre) fait allusion à un homme malade de frayeur parce qu'il avait cru voir un serpent dans sa coupe d'alcool alors qu'il s'agissait en fait de l'ombre d'un arc accroché au mur. Ce proverbe correspond à : *avoir peur de son ombre*.

A16 tjǐ-ts'.` /kouo /méï iǒou...kouo

tjǐ ts'.` 几次 /combien/fois

1. nǐ tjiènn kouo Ouáng hsiēnn-cheng tjǐ ts'.` ?
   你见过王先生几次 /tu/voir/**kouo**/Wang/monsieur/combien/fois
2. ouǒ tjiènn kouo t'ā liǎng ts'.` 我见过他两次
   je/voir/**kouo**/lui/deux/fois
3. nǐ tsàï Ià-tchōou lǔ-hsíng kouo tjǐ ts'.` ?
   你在亚洲旅行过几次 /tu/à/Asie/voyager/**kouo**/combien/fois
4. ouǒ tsàï Ià-tchōou lǔ-hsíng kouo hǎo-tjǐ ts'.`
   我在亚洲旅行过好几次 /je/à/Asie/voyager/**kouo**/beaucoup/fois

...kouo... 过 /**kouo** (passé d'expérience)

5. ouǒ tsàï Pā-lí hē kouo Tchōng-kouó tjiǒou
   我在巴黎喝过中国酒 /je/à/Paris/boire/**kouo**/Chine/alcool
6. nínn ǐ-tjīng ts'ānn-kouānn kouo Lióou-li-tch'ǎng ma ?
   您已经参观过琉璃厂吗
   /vous/déjà/visiter/**kouo**/Rue des Antiquaires./est-ce que
7. nínn ǐ-tjīng k'ànn kouo tchè pěnn chōu le ma ?
   您已经看过这本书了吗
   /vous/déjà/lire/**kouo**/ce/unité/livre/**le**/est-ce que
8. ouǒ lái kouo í ts'.` Tchōng-kouó
   我来过一次中国 /je/venir/**kouo**/une/fois/Chine
9. tchèï ke tiènn-ǐng, ouǒ k'ànn kouo sānn ts'.`
   这个电影我看过三次 ce/unité/film, je/voir/**kouo**/trois/fois

méï iǒou...kouo 没有...过 /ne pas avoir/.../**kouo**/

10. ouǒ méï iǒou tj'ù kouo Tchōng-kouó 我没有去过中国
    /je/ne pas avoir/aller/**kouo**/Chine
11. ouǒ mèi iǒou tch'.ˉ kouo Tchōng-kouó ts'àï
    我没有吃过中国菜 /je/ne pas avoir/manger/**kouo**/Chine/plats
12. tchèr ts'óng-lái méï-iǒou hsià kouo hsuě
    这儿从来没有下过雪 /ici/toujours/ne pas avoir/tomber/**kouo**/neige
13. nǐ méï-iǒou hsué kouo Tchōng-ouénn ma ?
    你没有学过中文吗
    /tu/ne pas avoir/étudier/**kouo**/langue chinoise/est-ce que

■ Jeux de mots rimés

Le jeu de mots rimés **hsiē-hòou-iǔ** consiste à employer une métaphore renvoyant à une expression rimant avec une autre. Ainsi : **ts'è-souǒ li tiěnn tēng** 厕所里点灯 *allumer la lumière dans les WC* (/W.C./dans/allumer/lumière) signifie *chercher la mort, chercher la bagarre*. Parce que *chercher la mort* se dit **tcháo s.ˇ** (/chercher/mort) qui rime avec : **tcháo ch.ˇ** qui signifie *chercher la crotte* (/chercher/crotte), ce qu'on fait apparemment quand on allume la lumière dans les toilettes.

A16 Constructions & remarques

■ Le suffixe verbal **kouo**, passé d'expérience

kouo, (littéralement : *passer*), employé après un verbe d'action signifie que l'action a eu lieu dans le passé une ou plusieurs fois, mais sans précision du moment où elle a eu lieu (français : *il est arrivé que..., déjà*).

ouŏ tch'.ˉ kouo Tchōng-kouó fànn *Il m'est arrivé de manger de la cuisine chinoise ; j'ai déjà mangé de la cuisine chinoise.*
/je/manger/**kouo**/Chine/nourriture

• la forme négative utilise **méï** ou **méï iŏou**, devant le verbe, et **kouo**, après le verbe. Elle se traduit par *jamais*.

ouŏ meï tch'.ˉ kouo Tchōng-kouó ts'àï *Je n'ai jamais mangé de cuisine chinoise* /je/ne pas/manger/**kouo**/Chine/plat

• les formes interrogatives de cette structure sont soit **ma**, en fin de phrase, soit **kouo**, après le verbe et **méï iŏou**, à la fin de la phrase :

nĭ tch'.ˉ kouo Tchōng-kouó ts'àï mei iŏou ?
As-tu déjà mangé de la cuisine chinoise ?
/tu//manger/**kouo**/Chine/plat/ne pas avoir

■ Il y a plusieurs mots pour exprimer le *nombre de fois* en chinois, qui dépendent des verbes :

ts'.ˋ , *fois*, est le plus général :

ouŏ láï kouo liăng ts'.ˋ . *Je suis déjà venu deux fois.*
/je/venir/**kouo**/deux/fois

• si le verbe est suivi d'un pronom, le nombre de fois vient après le complément :

ouŏ k'ànn kouo t'ā liăng ts'.ˋ *Je l'ai déjà rencontré deux fois.*
/je/aller voir/**kouo**/lui/deux/fois

• si le complément est un nom, le nombre de fois peut se mettre avant ou après lui :

tchèr hsià kouo liăng ts'.ˋ hsuĕ *Il a neigé deux fois ici.*
/ici/tomber/**kouo**/deux/fois/neige

• avec un verbe comme **chouō**, *dire, parler*, on n'utilise pas **ts'.ˋ** , mais **piènn** qui veut également dire *fois* (A14, ph.6)

■ Il y a deux mots en chinois pour *deux* : **èr** et **liăng**.

• **liăng** s'utilise devant un classificateur :

liăng ke Fă-kouó jénn *deux Français* /deux/unité/Français

• **èr** s'emploie dans les autres cas (nombres ordinaux, énumération, nombres supérieurs à dix) :

1, 2, 3, 4, etc. : **ī, èr, sānn, s.ˋ** , etc.
12 personnes : **ch.ˊ-èr ke jénn** /12 /unité/personne

A16 Entraînez-vous !

A Que veut dire en français ?

1. **nǐ tj'ù kouo Tchōng-kouó mĕï iŏou ?**
2. **ouŏ ts'ānn-kouānn kouo Fă-kouó liăng ts'.̀**
3. **t'ā ts'óng-lái mĕï iŏou hsúe kouo īng-ouénn**
4. **tchèr mĕï iŏou hsià kouo iŭ**

SOLUTIONS

A

1. Es-tu déjà allé en Chine
2. J'ai visité la France deux fois
3. Il/elle n'a jamais appris l'anglais
4. Il n'a jamais plu ici

■ **quelques noms de pays :**

• pour quelques pays parmi les plus connus, la première syllabe de la transcription du nom est suivie du classificateur **kouó** *pays* 国 : **é-kouó** *Russie* 俄国, **Té-kouó** *Allemagne* 德国, **Ing-kouó** *Angleterre* 英国, **Mĕï-kouó** *Amérique (USA)* 美国, **Fă-kouó** *France* 法国, **T'àï-kouó** *Thaïlande* 泰国.

• pour les autres, la transcription (d'après le nom dans la langue du pays concerné) est phonétique et n'a pas de signification :

ōou-tchōou *Europe* 欧洲 : **Jouèï-ch.̀** *Suisse* 瑞士, **Hsī-pānn-yá** *Espagne* 西班牙, **P'óu-t'áo-iá** *Portugal* 葡萄牙, **ì-tà-lì** *Italie* 意大利, **Hé-lánn** *Hollande* 何兰, **Pǐ-lì-ch.́** *Belgique* 比利时, **Hsī-là** *Grèce* 希蜡...

Ià-tchōou : *Asie* 亚洲 : **Tch'áo-hsiēnn** *Corée* 朝鲜, **R.pĕnn** *Japon* 日本, **Iuè-nánn** *Vietnam* 越南, **Tjiĕnn-p'ŏu-tchàō** *Cambodge* 柬埔寨, **Lăo-ouō** *Laos* 老挝, **Miĕnn-tiènn** *Birmanie* 缅甸, **Fēï-lù-pīnn** 菲律宾, **Inn-tòu** *Inde* 印度...

Mĕï-tchōou : *Amérique* 美洲 : **Tjiā-ná-tá** *Canada* 加拿达, **ā-kēnn-t'íng** *Argentine* 阿根廷, **Pā-hsī** *Brésil* 巴西, **Mò-hsī-kē** *Mexique* 墨西哥 ...

Fēï-tchōou *Afrique* 非洲, **Aī-tjí** *Egypte* 埃及, **Nánn-fēï** *Afrique du Sud* 南非.
Aò-tà-lì-yà *Australie* 澳大利亚

A17 Falloir/devoir

Il faut...

1. que je vienne demain
2. que j'achète mon billet
3. Pardon, il faut que j'y aille
4. que j'aille aux toilettes

Je dois

5. Désolé(e), mais je dois vous quitter
6. Je dois m'en aller, excusez-moi de vous avoir importuné(e)
7. C'est une chose que je dois faire
8. Ce télégramme doit partir immédiatement

Il doit.../ il est probable que...

9. être arrivé maintenant
10. être cinq heures
11. être rétabli maintenant

Il ne faut pas.../ on ne doit pas...

12. faire comme ça
13. fumer ici
14. que cela se sache

■ **Expression : tjīng kōng tch.ˉ niǎo** 惊弓之鸟 *l'oiseau qui avait peur de l'arc* /avoir peur/arc/de/oiseau (signifie *ne pas pouvoir en endurer davantage*).
Un roi et son archer virent passer dans le ciel une oie sauvage. "Regardez, Sire, dit l'archer, je vais abattre cette oie sans flèche". L'archer tendit son arc, lâcha la corde...et l'oie tomba par terre. "Extraordinaire, dit le roi. Comment-as-tu fait ?" "Elémentaire, répondit modestement l'archer. Cette oie volait seule, plus bas que normal. C'est donc qu'elle avait déjà été blessée. En entendant la corde de l'arc, elle a pris peur et a voulu monter. Sa blessure s'est rouverte, elle a perdu son sang et est morte en vol."

īng-kāï/pì-hsū/póu iào

pì-hsu, īng-kāï, tĕï 必须，应该，得 /devoir

1. míng-t'iēnn ouŏ pì-hsu láï 明天我必须来
/demain/je/être obligé/venir
2. ouŏ īng-kāï tj'ù măï p'iào le 我应该去买票了
/je/devoir/aller/acheter/billet/**le**
3. touèï-pòu-tj'ï, ouŏ tĕï tsŏou le 对不起，我得走了
/excuser. /je/devoir/partir/**le**
4. ouŏ tĕï tj'ù fāng-piènn fāng-piènn 我得去方便方便
/je/devoir/aller/commodité/commodité
5. pào-tj'iènn te hĕnn, ouŏ tĕï hsiàng tà-tjiā kào-ts'.´ le
抱歉得很，我得向大家告辞了
/regretter/**degré**/très. je/devoir/à/tout le monde/prendre congé/**le**
6. ouŏ īng-kāï tsŏou le , kĕï nínn t'iēnn má-fánn le
我应该走了，给您添麻烦了
/je/devoir/partir. /à vous/ajouter/ennuis/**le**
7. tchè ch.` ouŏ īng-kāï tsouò te ch.` 这是我应该做的事
/ceci/être/je/devoir/faire/**te**/chose
8. tchèï ke tiènn-pào tĕï mă-chang fā-tch'ōu-tj'u
这个电报得马上发出去
/ce/unité/télégramme/devoir/tout de suite/envoyer/sortir

īng-kāï 应该

9. t'ā hsiènn-tsàï īng-kāï tào le 他现在应该到了
/il/maintenant/devoir/arriver/**le**
10. hsiènn-tsàï Pā-lí īng-kāï óu tiĕnn le pa
现在巴黎应该五点了吧 /maintenant/Paris/devoir/5/heure/**le**/donc
11. t'a te pìng hsiènn-tsàï īng-kāï hăo le pa
他的病现在应该好了吧
/lui/**te**/maladie/maintenant/devoir/être bien/**le**/donc

póu iào... 不要 /ne pas/falloir

12. ...tchèï-iàng tsouò 这样作 ainsi/faire
13. ...tsàï tchèr tch'ōou-iēnn 在这儿抽烟 /à/ici/fumer
14. tchèï ke póu iào jàng jénn tch.¯-tào 这个不要让人知道
/ce/unité/ne pas/falloir/laisser/gens/savoir

■ **Anecdote ancienne :** origine du mot **máo-tòunn** 矛盾 *contradiction. Dans l'Antiquité, un homme vendait des lances et des boucliers au marché. Il cria : "Achetez mes lances* (**máo**)*! Elles peuvent casser tous les boucliers !" Il vanta ensuite ses boucliers* (**tòunn**) *en disant : "Achetez mes boucliers! Aucune lance ne peut les casser!" Quelqu'un lui dit : "qu'est-ce qui se passe si on frappe tes boucliers avec tes lances ?" Le vendeur ne put répondre, rangea son matériel et partit. C'est de cette anecdote que vient le mot* **máo-tòunn** *contradiction* /lance/bouclier.

Constructions & remarques

■ *Devoir* en chinois :

• **īng-kāï** : devoir moral, se sentir obligé de

nǐ īng-kāi tsăo tj'ǐ *Tu devrais te lever tôt.* /tu/devoir/tôt/se lever

īng-kāï...pa signifie *devoir* pour un événement qui doit se produire :
t'ā hsiènn-tsàï īng-kāi tào le pa *Il devrait être arrivé maintenant.*
/il/maintenant/devoir/arriver/**le**

• **pì-hsū** : devoir objectif, être obligé de

touèï-pòu-tj'ǐ, ouŏ pì-hsū tsŏou le *Excusez-moi, je dois partir.*
/excuser, je/devoir/partir/**le**

• **tĕï** [prononcé : tèille] *devoir moral* et *obligation*, mais est plus utilisé en langue familière.

■ *Il ne faut pas, on ne doit pas :* **póu iào** (interdiction) :
tchèr póu iào tch'ōou iēnn *Il ne faut pas fumer ici.*
/ici/ne pas falloir/fumer/tabac

■ *Pas la peine de, inutile de :* **pòu īng-kāi, póu iòng**

nǐ pòu īng-kāi tj'ù *Tu n'es pas obligé d'y allé.*
nǐ póu iòng kào-su t'ā *Tu n'as pas besoin de lui dire.*

■ **te**, complément du nom (L.4), correspond également aux pronoms relatifs du français, *qui, que, quoi, dont, où*, qui indiquent une proposition déterminant un nom. **te**, se place avant le nom et après le groupe verbal. L'ordre des mots est donc inverse du français :

• *qui:*
lái te jénn : *la personne qui vient, les gens qui viennent* /venir/**te**/gens
tsouò fēï-tjī te jénn hĕnn touō
Les gens qui prennent l'avion sont nombreux = Il y a beaucoup de gens qui prennent l'avion. /asseoir/avion/**te**/personne/très/beaucoup

• *que:*
ouŏ măï te p'iào *les billets que j'achète* je/acheter/**te**/billet
ouŏ īng-kāï tsouò te ch.` *la chose que je dois faire*
/je/devoir/faire/**te**/chose

• *où:*
ouŏ tj'ù te tì-fāng *l'endroit où je vais* /je/aller/**te**/endroit

• *dont :*
ouŏ chouō te nèï ke jénn. *la personne dont je parle*
/je/dire/**te**/ce...là/unité/personne

■ **pa** est une particule de fin de phrase qui signifie aussi l'impératif :

k'ouàï tsŏou pa ! *pars vite!* /vite/partir/**pa**

A17 Entraînez-vous !

A Que veut dire en français ?

1. **tào Tchōng-kouó tj'ù te jénn hĕnn touō**
2. **t'ā īng-kăi kēnn nĭ t'àï-t'àï tj'ù măï tōng-hsi**
3. **pòu tsăo le, ouŏ téi tsŏou le**
4. **nĭ te tiènn-pào, fā le mĕï-iŏou ?**

B Comment dire en chinois ?

1. Je suis arrivé à Pékin depuis trois jours
2. Il ne faut pas qu'il le sache
3. Elle est guérie
4. Cette affaire est vraiment très ennuyeuse

SOLUTIONS

A

1. Les gens qui vont en Chine sont nombreux
2. Il/elle doit aller faire de courses avec ma femme
3. Il est tard (littéralement : il n'est plus tôt), je dois partir
4. Ton télégramme, tu l'as envoyé ?

B

1. **σuŏ tào Pĕï-tjīng sānn t'iēnn le**
2. **póu iào jàng t'ā tch.¯-tào**
3. **t'ā te pìng hăo le**
4. **tchèï tjiènn ch.` t'àï má-fánn le**

■ Noms et prénoms

• le *nom de famille* (**hsìng** 姓) ne comprend généralement qu'un seul caractère, à quelques exceptions près (S.-ma, Oou-iang). Le nombre de noms de famille est très réduit : environ 3000 pour toute la Chine. Les plus courants sont : Li (**lĭ**), Wang (**ouáng**), Zhang (**tchāng**), Liu (**lióou**), Chen (**tch'énn**), qui, à eux seuls dénomment environ 1/4 de la population.

• les prénoms sont choisis librement et, traditionnellement, comprennent deux caractères. A l'heure actuelle, le nombre de prénoms à un seul caractère est de plus en plus répandu, ce qui tend à générer une certaine confusion d'identité. Le prénom se dit toujours après le nom.

• on ne peut appeler quelqu'un simplement par son prénom, sauf si on est un familier. Entre personnes qui se connaissent bien on utilise **lăo**, *vieux* 老, pour les personnes plus âgées et **hsiăo**, *petit* 小, pour les personnes plus jeunes, quel que soit le sexe : **láo Lĭ**, *vieux/vieille Li* 老李; **hsiăo Ouáng** 小王, *petit/petite Wang*.
Les adjectifs **lăo**, et **hsiăo** précèdent le nom de famille.

A18 plus que.../moins que...

Plus que...

1. Tu es plus jeune que moi
2. Elle est encore plus jolie qu'avant
3. La pollution à Pékin est plus grave que l'année dernière
4. Celui-ci coûte 5 yuan de plus que celui-là

De plus en plus

5. C'est de pire en pire
6. On vit de mieux en mieux en Chine

...moins que...

7. La Chine est moins chère que la France
8. Je suis moins riche que lui

...autant/ aussi que...

9. Je suis aussi âgé(e) que vous
10. En Chine l'hôtel est aussi cher qu'en France

Le plus

11. Votre nez est le plus grand

■ **Chinoiseries numériques (1)**

• le système numérique chinois se complique après 10000 :
10000 se dit **ouànn** 万 qui est l'unité des nombres supérieurs :
í ouànn *dix-mille* 一万 /un*dix-mille
sānn ouànn *trente mille* /trois*dix-mille
ǒu ouànn ǒu tj'iēnn *cinquante cinq mille* /cinq*dix-mille+cinq/mille

• pour convertir d'une langue à l'autre, il est pratique d'apprendre les grands chiffres par cœur :
ch.´ ouànn *cent mille* /dix*dix-mille : **sānn ch.´ ouànn** *trois cent mille*
păï ouànn *million* /cent*dix-mille **liáng păi ouànn** *deux millions*
tj'iēnn ouànn *dix millions* /mille*dix-mille
ǒu tj'iēnn ouànn *cinquante millions* /cinq/mille*dix-mille

A18 pǐ.../méï iǒou

pǐ 比 /comparer à

1. nǐ pí ouǒ niénn-tj'īng 你比我年轻
   /tu/par rapport à/moi/jeune
2. t'ā pǐ ǐ-tj'iénn háï p'iào-liàng 她比以前漂亮
   /elle/par rapport à/avant/encore/jolie
3. Pěï-tjīng de ōu-jánn pǐ tj'ù-niénn háï lì-haï
   北京的污染比去年还利害
   /Pékin/**te**/pollution/comparer/année dernière/encore/grave
4. tchèï ke pǐ nèï ke kouèï ǒu k'ouàï tj'iénn
   这个比那个贵五块钱
   /ce/unité/comparer à/ce/unité/cher/5/morceau/argent

iuè láï iuè 越来越 /plus/venir/plus

5. iuè láï iuè tsāo 越来越糟 /de plus en plus/pourri
6. tchòu tsàï Tchōng-kouó iuè láï iuè hǎo
   住在中国越来越好 /habiter/à/Chine/de plus en plus/bien

méï iǒou...nàme 没有...那么 /moins que

7. Tchōng-kouó méï iǒou Fǎ-kouó nà-me kouèï
   中国没有法国那么贵 /Chine/moins/France/aussi/cher
8. ouǒ méï iǒou t'ā nà-me iǒou tj'iénn 我没有她那么有钱
   /je/moins/lui/autant/avoir/argent

kēnn...í-iàng 跟...一样 /avec..pareil

9. ouǒ kēnn nǐ í-iàng tà 我跟你一样大 /je/avec/toi/pareil/âgé
10. Tchōng-kouó te lú-kouǎnn kēnn tsàï Fǎ-kouó í-iàng
    kouèï 中国的旅馆跟在法国一样贵
    /Chine/**te**/hôtel/avec/à/France/pareil/cher

tsouèï 最 /le plus

11. nǐ te pí-ts. tsouèï tà 你的鼻子最大 /tu/**te**/nez/le plus/grand

■ **Chinoiseries numériques (2)**

• à partir de cent millions, on se sert du mot **ì** *cent millions* 亿 :
sānn ì *trois cent millions* 三亿 /trois/cent millions
liòou ì tōunn *six cent millions de tonnes* 六亿吨 /six/cent millions/tonne
ch.´ ì *milliard* /dix*cent millions

• les Chinois se désignent eux-mêmes comme :
ch.´-èr ì jénn-mínn /12*cent millions/peuple
c'est-à-dire : *peuple de 1,2 milliard (d'habitants)*
En résumé, nous vous souhaitons de ne pas être dans l'impérieuse nécessité de compter des millions de tonnes.

• ne confondez pas les tons de **ī** 一 *un* et **ì** 亿 *dix-mille*.

A18 Constructions & remarques

■ **Le comparatif de supériorité**

Le comparatif de supériorité (français : *plus que...*) se forme au moyen du mot **pĭ**, *comparer*, suivant la formule : **A** – **pĭ** – **B** – qualité, où **A** et **B** sont les deux termes de la comparaison :
ouŏ pĭ t'ā kāo *Je suis plus grand que lui* /je/comparer/il/haut

• l'adjectif peut être précédé de l'adverbe **hái** *encore :*
t'ā pí ouŏ háï kāo *Il est encore plus grand que moi.*
/il/comparer/je/encore/haut

• l'adjectif exprimant la qualité peut également être suivi des expressions **te touō**, *beaucoup plus*, **ì-tiĕnn**, *un peu*, ou d'un nombre :
tj'ì-tch'ē pĭ ts.` -hsíng-tch'ē kouèï te touō
Les voitures sont beaucoup plus chères que les bicyclettes.
/voiture/comparer/bicyclette/être cher/beaucoup plus
t'ā pí ouŏ k'āi te k'uàï ì-tiĕnn *Il conduit un peu plus vite que moi.*
/il/comparer/moi/conduire/te/être vite/un peu
t'ā pí ouŏ tà sānn souèï *Il a trois ans de plus que moi.*
/il/comparer/je/âgé/trois/année d'âge

■ Le **comparatif d'infériorité** se forme soit au moyen du verbe **mēï iŏou**, *ne pas avoir*, suivant la structure :

A – **mēï iŏou** – **B** – (**nà-me**, *autant*) – qualité

ouŏ mēï iŏou t'ā nà-me kāo *Je suis moins grand que lui.*
/je/ne pas avoir/il/autant/haut

• soit il se forme avec l'expression **póu hsiàng**, *ne pas ressembler*, suivant une structure semblable :
ouŏ póu hsiàng tā nà-me kāo *Je suis moins grand que lui.*
/je/ne pas/ressembler/il/autant/haut

■ Le **comparatif d'égalité** consiste à employer **í-iàng**, *pareil*, avec la préposition **kēnn**, *avec* :
t'ā kēnn ouŏ í-iàng kāo *il est aussi grand que moi*
/il/avec/moi/pareil/haut
tchèï liàng tj'ì-tch'ē kēnn nèï liàng tj'ì-tch'ē í-iàng hăo
Cette voiture est aussi bonne que celle-là.
/ce/unité/voiture/avec/cela/unité/pareil/être bon

■ Le **superlatif absolu** utilise l'adverbe **tsouèï**, *le plus :*
t'ā tsouèï kāo *Il est le plus grand.* /il/le plus/être grand

■ **iuè lấï iuè**, *de plus en plus* s'emploie devant les verbes adjectifs :
ouŏ iuè láï iuè hsĭ-houānn t'īng īnn-iuè
J'aime de plus en plus la musique.
/je/de plus en plus/aimer/écouter/musique

A18 Entraînez-vous !

A Comment dire en chinois ?

1. Mlle Li est de plus en plus jolie
2. J'aime de plus en plus (boire de) la bière chinoise
3. J'ai trois ans de plus qu'elle
4. Celui-ci est le meilleur

SOLUTIONS

A

1. **Lǐ hsiăo-tjie iuè lái iuè p'iào-liàng**
2. **ouǒ iuè lái iuè hsǐ-houānn hē Tchōng-kouó p'í-tjiǒou**
3. **ouǒ pǐ t'ā tà sānn souèï**
4. **tchèï ke tsouèï hǎo**

■ Les **dynasties chinoises** (utile pour les visites touristiques) : (en **pinyin** pour respecter l'usage établi, avec notre transcription entre parenthèses).

Xia (**hsià** 夏) 21e siècle-16e siècle av.J.-C. Histoire mythique.
Shang (**chāng** 商) XVIe siècle-1066 av.J.-C. Début de la civilisation.
Zhou (**tchōou** 周) 1066-221 av.J.C. Début de l'histoire.
Qín (**tch'ínn** 秦) 221-206 av J.C. 1ère unification de la Chine. Construction de la Grande Muraille.
Han (**hànn** 汉) 206 av.J.C. - 220 ap.J.C. Extension de l'Empire. Arrivée du bouddhisme en Chine.
Trois Royaumes (**sānn kouó** 三国) 220-280. puis les Jin (**tjīnn** 金) 265-420 et les Dynasties du Sud et du Nord (**nánn -pěï tch'áo** 南北朝) 420-581. Période troublée de lutte pour le pouvoir et dynasties "barbares".
Sui (**souēï** 隋) 581-618. Réunification et construction du Grand Canal
Tang (**t'áng** 唐) 618-907. Dynastie considérée comme l'apogée de la civilisation chinoise (en dehors du XXIe siècle, bien sûr).
Cinq Dynasties (**ǒu tàï** 五代) 907-960. Nouvelle période troublée
Song (**sòng** 宋) 960-1279. Néo-confucianisme. Apogée de la peinture chinoise.
Yuan (**iuánn** 元) 1279-1368. Dynastie mongole. Marco Polo.
Ming (**míng** 明) 1368-1644. Capitale établie à Pékin. Fameuse porcelaine
Qing (**tj'īng** 清) 1644-1911. Dynastie mandchoue. Intrusion des Occidentaux : Traités Inégaux, guerres de l'opium.
République de Chine (**Tchōng-houá mín-kouó** 中华民国) 1912-1949. Fondée par Sun Yat-Sen
République Populaire de Chine (**Tchōng-houá jénn-mínn kòng-hé-kouó** 中华人民共和国). Depuis 1949

A19 je vous conseille/je pense que

Je vous conseille...

1. d'attendre un peu
2. de ne pas y aller
3. de ne pas aller à Shanghai en été
4. de ne pas boire de l'eau des rivières
5. de ne partir que demain

Je pense que...

6. vous devriez aller le voir

7. que tu ne le regretteras pas

8. il sera en retard

9. le mieux est que tu y ailles au printemps

10. nous avons raté le bus

A mon avis...

11. il va faire chaud aujourd'hui

12. elle devrait venir

13. c'est une chose tout à fait impossible

14. il faut que que j'aille voir

■ Question : dites en chinois le chiffre de la population française que nous établissons par hypothèse à 59.800.000 ha. (Voir p.74).

Réponse p. 79

A19 ouŏ tjiènn-ì nĭ.../ouó hsiăng...

ouŏ tjiènn-ì nĭ... 我建议你 /je/conseiller/toi

1. ...tĕng í-hsià 等一下 /attendre/une/fois
2. ...póu iào tj'ù 不要去 /ne pas/falloir/aller
3. ...hsià-t'iēnn póu iào tào Shàng-hăï tj'ù
   夏天不要到上海去 /été/ne pas/falloir/à/Shanghai/aller
4. ...póu iào hē hé li te chouĕï 不要喝河里的水
   /ne pas/falloir/boire/rivière/dans/**te**/eau
5. ...míng-t'iēnn tsàï tsŏou 明天再走 /demain/alors/partir

ouó hsiăng... 我想 /je/penser/que

6. ...nínn īng-kāï tj'ù k'ànn t'ā 您应该去看他
   /vous/devoir/aller/voir/il
7. ...nĭ póu houèï hòou-houĕï 你不会后悔
   /tu/ne pas/être possible/regretter
8. ...t'ā iào tch'.´-tào le 他要迟到了 /il/falloir/être en retard/**le**
9. ...nĭ tsouèï-hăo tch'ōun-t'iēnn tj'ù 你最好春天去
   /tu/mieux/printemps/aller
10. ...ouŏ-menn méï iŏou kănn-chang kōng-kòng-tj'ì-tch'ē
    我们没有赶上公共汽车 /nous/ne pas avoir/attraper/autobus

ouŏ k'ànn... 我看 /je/regarder/

11. ...tjīnn-t'iēnn houèï hĕnn jè 今天会很热
    aujourd'hui/pouvoir/très/être chaud
12. ...t'ā iào láï le 她要来了 /elle/falloir/venir/**le**
13. ...tchèï ch.` pòu k'ĕ-néng te ch.`-tj'ing
    这是不可能的事情 ceci/être/ne pas/être possible/**te**/affaire/
14. ouŏ tĕï tj'ù k'ànn k'ànn 我得去看看 /je/devoir/aller/voir/voir

■ Réponse à la question de la p. 78 :

Sachant que l'unité entre dix-mille et cent millions est **ouànn** dix-mille,
59.800.000 = 5980* 10000 soit : (cinq/ mille/neuf/cent/ quatre-vingt)*dix-mille :
ŏu tj'iēnn tjiŏou păi pā-ch', ouănn 五千九百八十万

A19 Constructions & remarques

■ Les **verbes, les noms, les classificateurs et les adjectifs** se redoublent en chinois avec des fonctions différentes.

• les verbes redoublés indiquent qu'une action est de courte durée ou seulement tentée. Le redoublement peut être simple ou avec insertion de **ī**, *un* :
k'ànn,*regarder* ---> **k'ànn k'ann** ou **k'ànn í k'ann** *jeter un coup d'œil*
ch.`**, *essayer* ---> **ch.` ch.`** ou **ch.` í ch.` *essayer un peu*

Les verbes de deux syllabes se redoublent en entier :
hsiōou-hsi *se reposer* ---> **hsiōou-hsi hsiōou-hsi** *se reposer un peu*

• les noms et classificateurs se redoublent et signifient alors *chaque*.
Les trois redoublements suivants sont très usuels :
t'iēnn *jour* ----> **t'iēnn t'iēnn** *chaque jour*
niénn *année* ---> **niénn niénn** *chaque année*
jénn *personne, homme* ---> **jénn jénn** *chaque personne*

Le redoublement est identique au sens de **mĕï**, *chaque* :
mĕï niénn, *chaque année* (il n'y a pas de classificateur car **niénn**, *année* et **t'iēnn**, *jour* sont des classificateurs, comme tous les noms de mesure en chinois)
mĕï ke jénn *chaque personne*

• les adjectifs redoublés précédant un verbe prennent un sens adverbial et peuvent être suivis de la particule **te**, particule adverbiale.
Le sens de ce redoublement est *très* :
mànn-mānn tch'.¯ *manger lentement (= bon appétit)*
/lent/lent/manger
mànn-mānn te tsŏou lòu *marcher tout doucement*
/lent/lent/**te**/marcher/route

• les adjectifs de deux syllabes se redoublent syllabe par syllabe :
kāo-hsìng *gai* ---> **kāo-kāo hsìng-hsìng** *très gai(ment)*
t'ā kāo-kāo hsìng-hsìng te tch'àng ke *Elle chante toute contente*.
/elle/gai/gai/**te**/chanter/chanson

■ **í-hsià** littéralement *un coup, une fois* a le même sens que le redoublement des verbes : *un peu*
tĕng í-hsià *attendre un peu* /attendre/une/fois
tĕng ì tĕng ou **téng tĕng** *attendre un peu* /attendre/attendre

■ *À mon avis*, **ouŏ k'ànn** /je/regarder : *à ton avis*, **nĭ k'ànn** /tu/regarder
nĭ k'ànn tjīnn-t'iēnn iào hsià-iŭ ma ?
A ton avis, il va pleuvoir aujourd'hui ?
tu/regarder/aujourd'hui/vouloir/pleuvoir/est-ce que

A19 Entraînez-vous !

A Que veut dire en français ?

1. **nĭ kĕï ouŏ k'ànn k'ànn**
2. **nĭ hsiōou-hsi hsioū-hsi tjiòou hăo le**
3. **t'ā tjiènn-ì ouŏ tào hé li tj'ù ióou-iŏng**
4. **ouŏ k'ànn nĭ pòu īng-kāï tj'ù**

B Comment dire en chinois ?

1. Tout le monde est content
2. Bon appétit !
3. Il ne faut pas que je sois en retard
4. Attendez-un peu. svp

SOLUTIONS

A

1. Fais-moi voir cela
2. Tu te reposes un peu et alors ça ira
3. Il m'a conseillé d'aller nager dans la rivière
4. A mon avis tu n'as pas à y aller

B

1. **jénn jénn tōou hĕnn kāo-hsìng**
2. **mànn-mànn tch'.¯ !**
3. **ouŏ póu iào tch'.´ tào**
4. **tj'ĭng nínn tĕng í hsià**

■ **Quelques uns des principaux classificateurs** (A2. p.12) :
ke 个 classificateur universel. Tend de plus en plus à remplacer tous les autres. Si vous avez un doute, utilisez **ke** sans hésiter. Cela fera moins éduqué, mais on vous pardonnera.

fènn 份, *portion*, class. des journaux, de la viande, etc.
fēng 封, *enveloppe*, class. des lettres
liàng 辆, class. des véhicules à roues
ouèï 位, class. de politesse
pĕnn 本, *volume*, est le classificateur des livres et cahiers
souŏ 所, class. des maisons
t'iáo 条, class. des objets longs (route, fleuve, poisson, etc.)
tch.¯ 只, class. des animaux
tch.¯ 枝, class. des objets longs et ronds (crayons, cigarettes etc.)
tchāng 张, class. des objets plats et minces (papier, table, lit, etc.)
tjiènn 件, class. des *événements* et des *vêtements* (le français *affaires* a les deux mêmes significations).

A20 Politesses

Présentations

1. Je vous présente ce monsieur
2. Je suis heureux de vous connaître
3. Bienvenue en chine

Excuses

4. Pardon, pourriez-vous répéter
5. S'il vous plaît, où est la poste ?
6. S'il vous plaît, donnez moi un coup de main
7. Excusez-moi de vous déranger
8. Cela ne fait rien
9. C'est vraiment embarrassant
10. Attention !
11. Je vous en prie, ne faites pas de manières
12. Je n'ai jamais vu quelqu'un d'aussi poli

Adieux

13. Bon voyage !
14. Allons, trinquons !
15. Buvons à la santé de tous!
16. On vide nos verres et on s'en va

■ **A comprendre...mais à utiliser avec parcimonie** :
souànn le pa *ça suffit ! raz-le-bol !* 算了吧 /compter/**le**/impératif
pà le *même sens* 罢了 /suffire/**le**
houàï-jénn *fripouille, sale type* (familier) 坏人 /mauvais/personne
chă-kouā *imbécile, idiot* 傻瓜 /idiot/citrouille

■ **A comprendre...mais à ne pas utiliser :**
Les insultes les plus savoureuses sont à base d'œuf (**tànn** 蛋) :
hóunn-tànn *imbécile, canaille, salaud* 混蛋 /trouble/œuf
houàï-tànn *crapule, ordure, fais pas l'oeuf !* 坏蛋 /mauvais/œuf
kŏunn-tànn *fous le camp !* 滚蛋 /roulant/œuf
ouáng-pā-tànn *cocu, pauvre type ! salaud !* 王八蛋 /tortue/œuf
pènn-tànn *imbécile, pauvre con, idiot!* 笨蛋 /idiot/œuf
wánn-tànn le *c'est fichu, foutu ; crève !* 完蛋了 /finir/œuf/passé

A20 k'è-tj'ì houà

tjiè-chào 介绍

1. ouǒ kěï nínn tjiè-chào tchèï ouèï hsiēnn-cheng
   我给您介绍这位先生 /je/pour/vous/présenter/cette/unité/monsieur
2. ouǒ jènn-ch. nínn fēï-tch'áng kāo-hsìng
   我认识您非常高兴 /je/connaître/vous/extrêmement/content
3. houānn-íng nínn tào Tchōng-kouó láï !
   欢迎您到中国来 /accueillir/vous/à/Chine/venir

pào-tj'iènn 抱歉

4. láo-tjià, tj'ǐng nínn tsàï chouō í piènn
   劳驾. 请您再说一遍 /pardon. prier/vous/re-/dire/une/fois
5. tj'ǐng-ouènn, ióou-tjú tsàï nă-li ? 请问, 邮局在哪里
   /prier/demander. poste/se trouver à/où
6. tj'ǐng nínn pāng-tchou ouǒ í hsià 请您帮助我一下
   /prier/vous/aider/moi/une/fois
7. touèï-pòu-tj'ǐ, tá-jăo nínn le ! 对不起. 打扰您啦!
   /excuser. /gêner/vous/**le**
8. méï-kouānn-hsi 没关系
9. tchēnn pòu-hăo-ì-s.̄ 真不好意思 /vraiment/gênant
10. hsiăo-hsīnn ! 小心 /petit/cœur
11. tj'ǐng póu iào k'è-tj'ì 请不要客气 /prier/ne pas/falloir/poli
12. ouǒ ts'óng-lái méï iŏou tjiènn kouo tchèï-iàng k'è-tj'ì te jénn 我从来没有见过这样客气的人
    /je/toujours/ne pas avoir/voir/**kouo**/ainsi/poli/**te**/personne

kào-ts'.́ 告辞

13. í-lòu p'íng-ānn ! 一路平安 /toute/route/paisible
14. láï , kānn-pēï ! 来. 干杯 /venir/sec/tasse
15. ouèï tà-tjiā te tjiènn-k'āng, kānn-pēï !
    为大家的健康. 干杯 /pour/tout le monde/**te**/santé. /sec/tasse
16. ouǒ-menn kānn le tchèï pēï, tjiŏou tsŏou
    我们干了这杯就走 /nous/sécher/**le**/cette/tasse. alors/partir

■ A comprendre...mais à ne surtout pas utiliser :

t'ā mā te *merde !, putain ! bon Dieu !* 他妈的 sa/mère/de/...
tj'ù nǐ te pa 去你的吧 *va te faire voir* /aller/ton.../impératif
kŏunn tch'ōu-tj'u 滚出去 *fiche le camp, fous le camp* /rouler/sortir
ts'āo nǐ ma de *fils de pute, connard, nique ta mère !* /b.../ta/mère/de/...
gāi sǐ ,该死 *crève donc* /devoir/mourir/
fàng p'ì 放屁 *foutaises, sottises, âneries* /poser/pet

A20 Constructions & remarques

■ **Actions successives**

- dans une phrase qui comprend deux actions successives, la particule **le**, après le premier verbe, signifie que l'action exprimée par le verbe est achevée avant celle exprimée par le verbe de la seconde proposition (français : *après avoir, après que*) :
  ouŏ tch'.ˉ le fànn tsàï tsŏou *Je partirai après avoir mangé.*
  /je/manger/passé/alors/partir

- les deux parties de la phrase sont souvent reliées par **tsàï**, *ensuite, alors*, **tjiòou**, *aussitôt, dès que* ou **ts'áï**, *seulement, ne...que...*
  ouŏ tch'.ˉ le fànn ts'áï tsŏou *Je ne partirai qu'après avoir mangé.*
  /je/manger/passé/seulement/partir
  ouŏ tch'.ˉ le fànn tjiòou tsŏou *Je partirai aussitôt après avoir mangé.* /je/manger/passé/aussitôt/partir

- le **temps de la phrase** est donné par le second verbe :
  ouŏ tch'.ˉ le fànn tjiòou tsŏou le *Je suis parti aussitôt après avoir mangé.* /je/manger/passé /aussitôt/partir/passé
  ouŏ mǎï le p'iào ts'ái tsŏou *Je partirai seulement après avoir mangé.* /je/acheter/passé/billet/seulement/partir
  ouŏ-menn kānn le tchèï pēï, tsàï tsŏou
  Nous partirons après avoir vidé cette tasse.
  /nous/sécher/passé/cette/tasse. alors/partir

- l'absence de **le**, dans la seconde proposition indique que l'action n'est pas encore faite, donc future, ou bien qu'il s'agit d'une action habituelle.

■ **Actions simultanées**

- le suffixe **tche**, après un verbe, s'emploie dans la première de deux propositions signalant l'existence de deux actions simultanées :
  t'ā k'ànn tche pào tch'.ˉ fànn *Il lit (le) journal en mangeant.*
  /il/lire/**tche**/journal/manger/nourriture
  tche correspond au français *verbe + -ant.*

- le **temps de la phrase** est donné par le second verbe, qui est le verbe principal :
  ouŏ tsoŏu tche tj'ù *J'y vais à pied., j'irai à pied.*
  /je/marcher/**tche**/aller
  ouŏ tsoŏu tche tj'ù le *J'(y) suis allé à pied.*
  /je/marcher/**tche**/aller/passé

> ■ Les *quatre grandes inventions chinoises*
> **Tchōng-jouó s.ˋ tà fā-míng** 中国四大发明 : le *papier*, **tch.ˇ** 纸, la *boussole*, **tch.-nánn-tchēnn** 指南针, l'*imprimerie*, **ìnn-chouā** 印刷, la *poudre à canon*, **houŏ-iào** 火药.

A20 Entraînez-vous !

A Que veut dire en français ?

1. **ouŏ póu jènn-ch. tchè ouèï hsiăo-tjie**
2. **ouŏ tsouó-t'iēnn ouănn-chang kānn le ch.´ pēi tjiŏou**
3. **tj'ĭng nínn póu iào tsŏou**
4. **ouŏ ts'óng-láï mĕï iŏou k'ànn kouo nèï ouèï hsiēnn-cheng**

B Comment dire en chinois ?

1. Peux-tu me présenter cette jolie Mlle Wang ?
2. Excusez-moi, je suis en retard. - Cela ne fait rien
3. Désolé, je ne peux pas y aller
4. Je dois prendre congé

SOLUTIONS

A

1. Je ne connais pas cette demoiselle
2. J'ai vidé dix verres d'alcool hier soir
3. Je vous prie de ne pas partir (équivaut à interdiction)
4. Je n'ai jamais vu ce monsieur

B

1. **nínn k'é ĭ kĕï ouŏ tjiè-chào nèï ke p'iào-liàng te Ouáng hsiăo-tjie**
2. **touèï pòu tj'ĭ, ouŏ láï-ouănn le. - mĕï kouānn-hsi**
3. **pào-tj'iĕnn te hĕnn, ouŏ pòu néng tj'ù**
4. **ouó tĕi kào-ts'.´**

■ **Quelques idées de visite en Chine :**
Compte tenu de l'afflux de touristes et l'intérêt croissant qu'ont les Chinois pour les dollars, il vaut mieux éviter les lieux recommandés par les guides touristiques, sauf ceux auxquels on ne peut échapper : Grande Muraille et Cité Interdite.

• *Pékin* (**Pĕï-tjīng**) devient une ville horrible à force de démolitions. Il reste quand même le Temple du Ciel (**T'iēnn-t'ánn**) 天坛, la Cité Interdite (à voir absolument) et le Palai§s d'Eté (**í-hé-iuánn**). Par contre, évitez la "Rue des Antiquaires" (**lióou-li-tch'ăng**): piège à touristes.

• Dans le sud, il y a aussi beau que Guilin (**Kouèï-línn**) aux monts Wuyi (**ŏu-í**) dans le nord du Fujian (**Fóu-tjiènn**) et sans les foules. Du moins, pas encore.

• Allez à Wutaishan (**ŏu-t'áï-chānn**), près de Taiyuan (**T'áï-iuánn**), province du Shanxi (**chānn-hsī**). Région magnifique et autant de temples perdus dans les montagnes qu'on peut en rêver.

• Si vous aimez les paysages, la Chine des "Minorités Nationales" (Tibet, Xinjiang, Yunnan, Mongolie...) est la plus belle, mais pas toujours facile d'accès et parfois interdite.

voyageur, passager	乘客	**tch'éng-k'è**
voyager	旅行	**lŭ-hsíng**
prendre (transport)	坐	**tsouò**
aéroport	飞机场	**fēï-tjī tch'ăng**
avion	飞机	**fēï-tjī**
atterrir	降落	**tjiàng-louò**
arriver	到	**tào**
décalage horaire	时差	**ch.´-tch'ā**
frontière	边界	**piēnn-tjiè**
douane	海关	**hăï-kouānn**
douanier	海关人员	**hăï-kouānn jénn-iuánn**
passeport	护照	**hòu-tchào**
carte d'identité	出生证	**tch'ōu-chēng tchèng**
formalités	手续	**chŏou-hsù**
accomplir les formalités	办手续	**pànn chŏou-hsù**
visa	签证	**tj'iēnn-tchèng**
faux papiers	伪造证件	**ouĕï-tsào tchèng-tjiènn**
déclarer en douane	报税	**pào-chouèï**
contrebande	走私	**tsŏou-s.¯**
drogue	毒品	**tóu-p'ĭnn**
interdit	禁止	**tjìnn-tch.ˇ**
règlement	规定	**kouēï-tìng**
taxe d''aéroport	机场税	**tjī-tch'ăng-chouèï**
partir	出发	**tch'ōu-fā**
train	火车	**houŏ-tch'ē**
couchettes dures	硬卧	**ìng-ouò**
couchettes molles	软卧	**jouănn-ouò**
place assises dures	硬座	**ìng-tsouò**
places assises molles	软座	**jouănn-tsouò**
train de nuit	夜车	**iè-tch'ē**
changer (de véhicule)	换车	**houànn tch'ē**
gare, arrêt, station	站	**tchànn**
gare ferroviaire	火车站	**houŏ-tch'ē-tchànn**
quai, plate-forme	站台	**tchànn-t'áï**
billet aller et retour	来回票	**láï-houēï-p'iào**
billet de chemin de fer	火车票	**houŏ-tch'ē-p'iào**
wagon-restaurant	餐车	**ts'ānn-tch'ē**
wagon-lit	卧车	**ouò-tch'ē**
place, siège	座位	**tsouò-ouèï**
contrôler les billets	查票	**tch'á-p'iào**
avoir une amende	罚款	**fá-k'ouànn**
horaires	时间表	**ch.´-tjiēnn piăo**
destination	目的地	**mòu-ti tì**
toilettes W.-C.	厕所	**ts'è-souŏ**
train omnibus	慢车	**mànn-tch'ē**
rapide	特别快车	**t'è-pié-k'ouàï-tch'ē**

B1 Entraînez-vous !

A Tentez de dire en chinois :

1. Est-ce à vous ?
2. C'est le règlement !
3. Le train venant de X aura 10 minutes de retard

SOLUTIONS

A

1. **ch.̀ nǐ te ma ?**
2. **tchèï ch. koueī-tìng !**
3. **ts'óng X k'āï-láï te houǒ-tch'ē ouǎnn tào ch.́ fēnn tchōng**

■ **Aide mémoire :** *Les provinces* (**chěng** 省) *de Chine*

La Chine historique (du nord au sud et d'ouest en est, en **pinyin**, transcription et caractères) :

Heilongjiang **Hēï-lóng-tjiāng** 黑龙江

Jilin **Tjí-línn** 吉林 — Liaoning **liáo-níng** 辽宁

Hebei **Hé-pěï** 河北 — Ningxia **Níng-hsiǎ** 宁夏

Shanxi **Chānn-hsī** 山西 — Shandong **Chānn-tōng** 山东

Gansu **Kānn-sōu** 甘肃 — Shaanxi **Chǎnn-hsī** 陕西

Henan **Hé-nánn** 河南 — Jiangsu **Tjiāng-sōu** 江苏

Sichuan **S.̀-tch'ouānn** 四川 — Hubei **Hóu-pěï** 湖北

Anhui **ānn-houēï** 安徽 — Zhejiang **Tché-tjiāng** 浙江

Guizhou **Kouèï-tchōou** 贵州 — Hunan **Hóu-nánn** 湖南

Jiangxi **Tjiāng-hsī** 江西 — Fujian **Fóu-tjiènn** 福建

Yunnan **Yúnn-nánn** 云南 — Guangxi **Kouǎng-hsī** 广西

Guangdong **Kouǎng-tōng** 广东 — Hainan **Hǎï-nánn** 海南

La "Chine des Minorités" peuplée de non-Han (les Han, **Hànn** 汉 sont les *Chinois*, par opposition aux autres peuples) :

Xizang(*Tibet*) **Hsī-Tsàng** 西藏

Qinghai **Tj'īng-hǎï** 青海 (nombreux Tibétains et...les camps de travail **láo-kǎï** 劳改)

Nei Menggu (*Mongolie intérieure*) **Nèï Méng-kǒu** 内蒙古

Xinjiang **Hsīnn-tjiāng** 新疆 (peuplé de *Ouighours*, peuple d'origine turque).

Dans les noms géographiques **tōng, hsī, nánn, pěï** sont respectivement *l'est, l'ouest, le sud et le nord*. **tjiāng** *fleuve* désigne le **Tch'áng-tjiāng** ou Yang Tsé-kiang, **hé**, *fleuve* désigne le **Houáng-hé**, *Fleuve Jaune*. **shānn** signifie *montagne*, **hǎï**, *mer* et **hóu**, *lac*.

Vous voilà armés pour comprendre les noms de quelques provinces. Les provinces du Shanxi, **Chānn-hsī** et du Shaanxi, **Chǎnn-hsī** ne se distinguent que par le ton.

B2 voyager (2)/ banque

lŭ-hsíng/ ínn-háng

agence de voyages	旅行社	**lŭ-hsíng-chè**
billet de groupe	团体票	**t'ouánn-t'ĭ-p'iào**
bateau, navire	船	**tch'ouánn**
quai, débarcadère	码头	**mă-t'oou**
billet de bateau	船票	**tch'ouánn-p'iào**
cabine, soute	船舱	**tch'ouánn-ts'āng**
première classe	一等	**ì-tĕng**
deuxième classe	二等	**èr-tĕng**
paquebot	客轮	**k'è-lóunn**
voilier, jonque	帆船	**fānn-tch'ouánn**
avoir le mal de mer	晕船	**iùnn-tch'ouánn**
bateau de sauvetage	救生船	**tjiòou-chēng-tch'ouánn**
bouée de sauvetage	救生圈	**tjiòou-chēng-tj'uānn**
couler	沉没	**tch'énn-mò**
gare routière	公共汽车站	**kōng-kòng-tj'ì-tch'ē tchànn**
autocar	客车	**k'è-tch'ē**
chauffeur	司机	**s.¯-tjī**
trolleybus	无轨电车	**óu-kouĕï-tiènn-tch'ē**
arrêt de bus, de car...	车站	**tch'ē-tchànn**
passage, couloir	过道	**kouò-tào**
Banque de Chine (la)	中国银行	**tchōng-kouó-ínn-háng**
banque	银行	**ínn-háng**
changer de l'argent	换钱	**houànn tj'iénn**
devise étrangère	外汇	**ouàï-houèï**
taux de change	汇率	**houèï-lù**
fausse monnaie	假票	**tjiă-p'iào**
chèque	支票	**tch.¯-p'iào**
chèque de voyage	旅行支票	**lŭ-hsíng tch.¯-p'iào**
carte de crédit	信用卡	**hsìnn-iòng-k'ă**
carte d'étudiant	学生证	**hsué-chēng tchèng**
carte Visa	维士卡	**ouèï-ch.`-k'ă**
guichet, caisse, bureau	售票处	**chòou-p'iào-tch'òu**
employé	职员	**tch.´-iuánn**
billet de banque	钞票	**tch'āo-p'iào**
faire de la monnaie	换零钱	**houànn líng-tj'iénn**
pièce de monnaie	钱币	**tj'iénn-pì**
cote, cours	牌价	**p'áï-tjià**
compte en banque	户头	**hòu-t'óou**
ouvrir un compte	开户	**k'āï hòu**
la monnaie chinoise	人民币	**jénn-mínn pì**
yuan (un)	一块钱	**í k'ouàï tj'iénn**
franc français	法国法郎	**fă-kouó fă-láng**
franc belge	比利时法郎	**bĭ-lì-ch.´ fă-láng**
franc suisse	瑞士法郎	**jouèï-ch.´ fă-láng**
dollar	美元	**mĕï-iuánn**

B2

Entraînez-vous !

A. Tentez de dire en chinois :

1. Quel est le cours du dollar actuellement ?
2. J'ai acheté le billet de bateau dans l'agence de voyage de Chine
3. Je veux changer 1000 francs français

SOLUTIONS

A

1. **mĕï-iuánn te p'ái-tjià hsiènn-tsàï ch.` touō-chăo ?**
2. **ouŏ tsàï Tchōng-kouó lŭ-hsíng-chè măï tch'ouánn-p'iào le**
3. **ouŏ hsiăng iào houànn ì-tj'iēnn Fă-kouó fă-láng**

■ *Quelques inconvénients d'être étranger en Chine*
En dehors des choses intéressantes ou merveilleuses que vous verrez (ou mangerez), la Chine présente quelques inconvénients qu'il faut connaître avant de s'y rendre :
• sachez d'abord que vous serez taxé d'environ 150 % par rapport aux prix chinois (transports, spectacles, parcs, etc...) et que si vous vous faites prendre avec un billet "prix chinois", obtenu par un ami, on vous le confisquera sans aucun remords. La seule façon de payer moins est d'avoir une *carte de travail,* **kōng-tsouò tchèng** 工作证 ou *d'étudiant,* **hsué-chēng tchèng** 学生证. Ceux qui ne vous taxent pas essaieront de vous rouler grossièrement sur les prix (restaurants, marché, antiquités) ou sur la marchandise (faux-billets de 100 yuans, fausses antiquités, etc...). Pas de limite à l'imagination des arnaqueurs, d'autant que vous êtes un stupide *grand-nez,* **tà pí-ts** 大鼻子. Seules seront sympathiques avec vous les personnes qui n'ont rien à tirer de vous (paysans dans les villages, vieillards dans les parcs, et encore...).
• vous devrez vous habituer à être dévisagé(e) du matin au soir, où que vous soyez (sauf à Pékin et Shanghai, peut-être). Cela n'a rien d'agressif, mais peut surprendre.
• l'hygiène et la propreté peuvent laisser à désirer dès que l'on quitte les grands hôtels et restaurants. Les toilettes de campagne et certains bouis-bouis sont particulièrement repoussants.
• questions rituelles - toujours les mêmes- auxquelles il faut pouvoir répondre si quelqu'un veut engager la conversation :
De quel pays êtes-vous ? **nĭ ch.` nĕï-kouó-jénn ?** 你是哪国人？
Etes-vous marié(e) ? **nĭ tjié-hōunn le ma ?** 你结婚了吗？
Avez-vous des enfants ? **nĭ iŏou háï-ts. ma ?** 你有孩子吗？
Avez-vous une voiture? **nĭ iŏou hsiăo-tj'ì-tch'ē ma ?** 你有小汽车吗
Combien gagnez-vous? **nĭ tchèng tuōchăo tj'iénn ?**
你一个月挣多少钱？
Mais sachez que, sauf heureuse exception, sa curiosité satisfaite, votre interlocuteur ne s'intéressera, la plupart de temps, plus à vous.

hôtel	饭店	**fànn-tiènn**
auberge, hôtel	旅馆	**lú-kouănn**
réception	服务台	**fóu-òu-t'áï**
réserver une chambre	订房间	**tìng fáng-tjiēnn**
séjourner, rester	呆	**tāï**
chambre d'hôtel	房间	**fáng-tjiēnn**
chambre libre	空房	**k'ōng-fáng**
chambre à un lit	单人房	**tānn-jénn-fáng**
chambre double	双人房	**chouāng-jénn-fáng**
fiche d'hôtel	登记卡	**tēng-tjì-k'ă**
grand	大	**tà**
petit	小	**hsiăo**
clair	清楚	**tj'īng-tch'ou**
sombre	暗	**ànn**
propre	干净	**kānn-tjing**
sale	脏	**tsāng**
drap de lit	床单	**tch'ouáng-tānn**
lit	床	**tch'ouáng**
couverture	被子	**pèï-ts.**
oreiller, traversin	枕头	**tchĕnn-t'óou**
salle de bains	浴室	**iù-ch.`**
robinet	水龙头	**chouĕï-lóng-t'óou**
toilettes	厕所	**ts'è-souŏ**
fuir, couler	漏水	**lòou-chouĕï**
c'est bouché	堵了	**tŏu le**
bagage à main, valise	手提箱	**chŏou-t'í-hsiāng**
porter (à la main)	提	**t'í**
caisse, valise	箱子	**hsiāng-ts.**
bagages	行李	**hsíng-lĭ**
appeler, réveiller	叫	**tjiào**
ça marche	行	**hsíng**
c'est cassé	坏了	**houàï le**
quitter, partir	离开	**lí-k'āï**
pourboire	小费	**hsiăo-fèï**
changer une lampe	换电泡	**houànn tiènn-tēng**
allumer (lampe)	点	**tiĕnn**
éteindre	关	**kouānn**
fermer à clé	锁	**souŏ**
clé	钥匙	**iào-ch.**
calme, tranquille	安静	**ānn-tjing**
bruyant	吵	**tch'ăo**
bouteille thermos	热水瓶	**jè-chouĕï-p'íng**
eau bouillie (pour boire)	开水	**k'āï-chouĕï**
eau chaude	热水	**jè-chouĕï**
climatisation	冷气	**lĕng tj'ì**
restaurant (d'un hôtel)	餐厅	**ts'ānn-t'īng**

B3 Entraînez-vous !

A Tentez de dire en chinois :

1. Où est la prise de courant (**tch'ā-t'óou**) ?
2. La climatisation est cassée
3. Cette chambre n'est pas assez (**póu-kòou**) calme

B Essayez de comprendre :

1. **fáng-tjiēnn ì t'iēnn touō-chăo tj'iénn ?**
2. **nínn iŏou p'iénn-i ì-tiĕnn te fáng-tjiēnn ma ?**
3. **Tchōng-kouó pòu kĕï hsiăo-fèï**

SOLUTIONS

A

1. **tch'ā-t'óou tsàï năr ?**
2. **lĕng-tj'ì huàï le**
3. **tchè tjiēnn fáng-tjiēnn póu kòou ānn-tjìng**

B

1. Combien coûte la chambre par jour ?
2. Avez-vous une chambre un peu meilleur marché ?
3. En Chine on ne donne pas de pourboire

■ *Quelques mots chinois en français :*
Ils sont rares et désignent souvent des objets ou notions d'origine chinoises :

• *Chine :* du nom de la dynastie des Qin (225-220 av J.C.)

• *dazibao :* journal mural. Transcription pinyin de **tà-ts.`-pào** 大字报 大字报 (/grand/caractère/journal). Est quelque peu tombé en désuétude aussi bien en France qu'en Chine.

• *kung-fou :* transcription du chinois **kōng-fōu**, *talent, habileté* 功夫, sport martial bien connu.

• *longane :* nom d'un fruit. Provient du chinois **lóng-iĕnn** 龙眼 (dragon/œil), prononcé **long-gnann** dans le sud de la Chine.

• *tchin!tchin! :* vient de **tj'ĭng tj'ĭng**, *prier de* 请请

• *thé :* le mot est venu en Europe à partir du sud de la Chine (qui l'a elle-même importé d'Inde à l'époque des Han) où on prononce ce mot **té** (dialecte *Min*) 茶. En Russe le mot *thé* se dit **tchaï** et en grec **tsaï**, parce que le thé est arrivé dans ces pays à partir de la Chine du Nord où on parle mandarin et où *thé* se disait **tch'á-iè**, *feuilles de thé* 茶叶.

B4 au restaurant (1)
tsàï fànn-tiènn li

j'ai faim	我饿了	**ouŏ è le**
j'ai soif	我渴了	**ouŏ k'ĕ le**
manger	吃饭	**tch'.ˉ fànn**
boire	喝	**hē**
nous voulons...	我们要	**ouŏ-mènn iào...**
patron !	老板	**láo-pănn**
restaurant, hôtel	饭店	**fànn-tiènn**
restaurant, cantine	餐厅	**ts'ānn-t'īng**
café (lieu)	咖啡馆	**k'ā-fēï-kouănn**
bar	酒巴	**tjiŏou-pa**
fast food	快餐	**k'ouàï-ts'ānn**
réserver	定	**tìng**
serveur, serveuse	服务员	**fóu-ù-iuánn**
le menu	菜单,菜单儿	**ts'àï-tānn, ts'àï-tār**
choisir, commander	点菜	**tiĕnn ts'àï**
un repas	一顿饭	**í tòunn fànn**
sandwich	三明治	**sānn-míng-tch.ˋ**
repas ordinaire	便饭	**piènn-fànn**
repas occidental	西餐	**hsī-ts'ānn**
cuisine chinoise	中国菜	**Tchōng-kouó ts'àï**
petit-déjeuner	早饭	**tsăo-fànn**
déjeuner	午饭	**ŏu-fànn**
dîner	晚饭	**ouănn-fànn**
glace	冰淇淋	**pīng-tj'i-línn**
gâteau	蛋糕	**tànn-kāo**
dessert	点心	**tiĕnn-hsīnn**
rassasié	吃饱了	**tch'.ˉ păo le**
addition	结帐	**tjié-tchàng**
faire l'addition	算帐	**souànn-tchàng**
payer, régler	付(钱)	**fòu (tj'iénn)**
rendre (monnaie)	找(钱)	**tchăo (tj'iénn)**
vous me roulez !	你骗人	**nĭ p'iēnn jénn !**
escroc, filou	骗子	**p'iēnn-ts.**
table	桌子	**tchouō-ts.**
chaise	椅子	**ĭ-ts.**
bol	碗	**ouănn**
baguettes	筷子	**k'ouàï-ts.**
casserole, wok	锅	**kouō**
verre	杯子	**pēï-ts.**
couvert	刀叉	**tāo-tch'ā**
assiette	盘子	**p'ánn-ts.**
couteau	刀	**tāo**
fourchette	叉	**tch'á**
cuiller	勺子	**cháo-ts.**
bouteille	瓶子	**p'íng-ts.**
œuf (de poule)	鸡蛋	**tjī-tànn**

B4 Entraînez-vous !

A Tentez de dire en chinois :

1. Combien êtes-vous ?
2. Cette table est réservée.
3. Désirez-vous consulter le menu ?

B Essayez de comprendre :

1. **iŏou mĕï-iŏou nínn àï tch'.¯ te ?**
2. **nínn néng kĕï ouŏ souànn-tchàng ma ?**

SOLUTIONS

A

1. **nĭ-menn tjĭ ouèï ?**
2. **tchèï tchāng tchouō-ts. ĭ-tjīng tìng le**
3. **nínn hsiăng k'ànn ts'àï-tār ma ?**

B

1. Y a-t-il quelque chose qui vous ferait plaisir (de manger) ?
2. Pouvez-vous me régler ?

■ *Repas chinois* (**tchōng-ts'ānn** 中餐) *et repas occidental* (**hsī-ts'ānn** 西餐) vus par des chinois :

"Non seulement le contenu des repas est différent mais les styles de repas sont différents. Quand on mange de la cuisine chinoise on met tous les *plats* (**ts'àï** 菜) sur la *table* (**tchouō-ts.** 桌子) et tout le monde mange ensemble. Dans le repas occidental, chacun se débrouille avec sa propre *assiette* (**p'ánn-ts.** 盘子). (...) La plus grande différence est qu'en Occident on insiste surtout sur les manières d'être à table, alors qu'en Chine on insiste plus sur le contenu des plats qui doivent répondre à des exigences de *couleur* (**iénn-sè** 颜色), de *parfum* (**hsiāng** 香) et de *goût* (**ouèï** 味). La plupart des gens ne s'occupent pas de la manière de se comporter à table..."
Tiré de : *A new perspective*, Presses de l'Université de Pékin, tome 2 (Manuel de chinois élémentaire pour les étrangers).

Quelques éléments sommaires de politesse :

- ne plantez pas vos *baguettes* (**k'ouàï-ts.** 筷子) verticalement dans votre *bol* (**ouănn** 碗) car cela ressemble aux bâtonnets d'*encens* (**hsiāng** 香), ni horizontalement en croix en travers du bol. Posez-les sur le bol parallèles l'une avec l'autre.
- si vous invitez quelqu'un, ne le croyez pas s'il prétend être rassasié. Insistez jusqu'à l'impolitesse. Inversement, ne finissez pas entièrement les plats offerts, cela voudrait dire qu'il n'y en a pas assez.
- Par contre, ne vous gênez pas pour poser -sans les cracher toutefois- les petits os ou noyaux sur la *nappe* (**tchouō-pòu** 桌布). Cela ne choquera personne.

boisson	饮料	**ĭnn-liào**
boisson fraîche	冷饮	**lĕng-ĭnn**
thé	茶	**tch'á**
thé vert	绿茶	**lù-tch'á**
thé noir	红茶	**hóng-tch'á**
thé de Longjing	龙井茶	**Lóng-tjĭng tch'á**
thé au jasmin	茉莉茶	**mó-lì tch'á**
café	咖啡	**k'ā-fēï**
lait	牛奶	**nióou-năï**
café au lait	咖啡牛奶	**k'ā-fēï-nióou-năï**
jus d'orange	橘子水	**tjú-ts.-chouĕï**
limonade	汽水	**tj'ì-chouĕï**
Coca-Cola	可口可乐	**k'ĕ-k'ŏu-k'ĕ-lè**
eau plate	开水	**k'āï-chouĕï**
glaçon	冰块	**pīng-k'ouàï**
boisson alcoolisée	带酒精的饮料	**taï tjiŏou-tjīng te ĭnn-liào**
cocktail	鸡尾酒	**tjī-ouĕï tjiŏou**
bière	啤酒	**p'í-tjiŏou**
bière de Ts'ing-tao	青岛啤酒	**Tj'īng-tăo p'í-tjiŏou**
vin rouge	红葡萄酒	**hóng p'óu-t'ao-tjiŏou**
vin blanc	白葡萄酒	**páï p'óu-t'ao-tjiŏou**
alcool de riz	白酒	**páï tjiŏou**
alcool maotai	茅台酒	**máo-t'áï tjiŏou**
vin jaune	黄酒	**houáng-tjiŏou**
cul sec !	干杯	**kānn-pēï**
condiments, sauce	作料	**tsouò-liào**
huile de soja	酱油	**tjiàng-ióou**
vinaigre	醋	**ts'ōu**
sucre	白糖	**páï-t'áng**
sel	盐	**iénn**
glutamate (sel)	味精	**ouèï tjīng**
très chaud (liquide)	烫	**t'àng**
trop pimenté	太辣	**t'àï là**
viande	肉	**jòou**
viande de bœuf	牛肉	**nióou-jòou**
viande de porc	猪肉	**tchōu jòou**
poulet	鸡	**tjī**
canard	鸭	**iā**
viande de mouton	羊肉	**iáng-jòou**
fondue mongole	涮羊肉	**chouànn-iáng-jòou**
poisson	鱼	**iú**
crevette	虾	**hsiā**
crabe	螃蟹	**p'áng-hsie**

B5 Entraînez-vous !

A Tentez de dire en chinois :

1. Souhaitez-vous commander quelque chose ?
2. Que désirez-vous boire ?

B Essayez de comprendre :

1. **nínn hsiăng hē chém-me tch'á ?**
2. **nínn iăo fā-p'iào ma ?**
3. **tjiŏou-pa mĕï-t'iēnn hsià-ŏu óu tiĕnn tào ch.´ tiĕnn k'āï-ménn**

SOLUTIONS

A
1. **nínn hsiáng tiĕnn chém-me ?**
2. **nínn hsiăng hē tiĕnn chém-me ?**

B
1. Quelle sorte de thé désirez-vous ?
2. Voulez-vous un reçu ?
3. Le bar est ouvert tous les jours de 17 h à 22 h.

■ *Les boissons*

• le *thé*, **tch'á** 茶, ou l'eau chaude (parfois appelée *thé blanc*) pour les plus pauvres, constitue la boisson nationale depuis l'époque des T'ang (VIIIe siècle). Il est présenté sous forme de *feuilles* (**tch'á-iè** 茶叶) sur lesquelles on verse de l'eau bouillante. Il faut ensuite attendre que les feuilles coulent au fond de la tasse. Récemment, ont été introduits -hérésie!- les sachets qui évitent ce désagrément. On distingue les *thés verts*, **lù-tch'á** 绿茶, aux feuilles séchées dès la cueillette, les *thés Wulong*, **ōu-lóng-tch'á** 乌龙茶, aux feuilles fermentées qui donnent un thé plus foncé et le *thé au jasmin*, **mò-lì tch'á** 茉莉茶, thé mélangé aux pétales de la fleur. Au Tibet existe aussi du *thé en brique*, thé compressé pour le transport. Le thé le plus célèbre est le thé vert de Longjing, **lóng-tjĭng tch'á** 龙井茶 (province du Zhejiang).

• les *alcools* (**tjiŏou** 酒) sont faits à partir de céréales depuis 1500 av. J.-C.. Fabriqués à partir du sorgho ou *kaoliang* (**kāo-liáng** 高粱) dans le nord et du *riz* (**tà-mĭ** 大米) dans le sud, ces alcools sont bus en mangeant (et pour porter des toasts). Citons, parmi les plus connus, le *maotai*, **máo-t'āï tjiŏou** 茅台酒 (province du Guizhou), le *fenjiu*, **fénn-tjiŏou** 汾酒 (province du Shanxi) et le *vin jaune*, **huáng-tjiŏou** 黄酒, fabriqué à Shaoxing dans le Zhejiang. La Chine produit des *vins doux*...d'un goût douteux, dont il vaut mieux ne rien dire.

• la *bière*, **p'í-tjiŏou** 啤酒, a été introduite par les Allemands qui occupaient la ville de Qingdao à l'époque des Traités Inégaux. Parmi les bières, fabriquées dans toute la Chine, la *bière de Qingdao*, **Tj'īng-tăo p'í-tjiŏou** 青岛啤酒 (province du Shantong) est la plus connue.

B6 au restaurant (3)

tsàï fànn-tiènn li

fruits	水果	**chouĕï-kouŏ**
kaki	柿子	**ch.`-ts.**
citron	柠檬	**níng-méng**
mandarine	橘子	**tjú-ts.**
poire	李	**lĭ**
banane	香蕉	**hsīang-tjiāo**
mangue	芒果	**máng-kouŏ**
pomme	苹果	**p'íng-kouŏ**
melon	甜瓜	**t'iénn-kouā**
pastèque	西瓜	**hsī-kouā**
nouilles	面条	**miènn-t'iáo**
riz	米饭	**mĭ-fànn**
pain	面包	**miènn-pāo**
petit pain	馒头	**mànn-t'óou**
petit pain farci	包子	**pāo-ts.**
légumes	生菜	**chēng-ts'àï**
haricot	豆	**tòou**
lentille	扁豆	**piĕnn-tòou**
pommes de terre	土豆	**t'ŏu-tòou**
purée	土豆泥	**t'ŏu-tòou-ní**
aubergine	茄子	**tj'ié-ts.**
tomate	西红柿	**hsī-hóng-ch.`**
germes de soja	豆芽	**tòou-iá**
fromage de soja	豆腐	**tòou-fou**
plat	菜	**ts'àï**
bon (à manger)	好吃	**hăo-tch'.¯**
pimenté	辣的	**là-te**
cuisine locale	风味	**fēng-ouèï**
rouleau de printemps	春卷	**tch'ōunn-tjuànn**
raviolis	饺子	**tjiăo-ts.**
canard laqué	考鸭	**k'ăo-iā**
fromage de soja épicé	麻婆豆腐	**má p'ó tòou-fou**
poisson sauce aigre-douce	糖醋鱼	**t'áng-s'ōu-iú**
œufs aux champignons	木须肉	**mòu-hsū-jòou**
porc sauce aigre-douce	古老肉	**kŏu-lăo-jòou**
petits pains à l'étuvée	小龙包	**hsiăo-lóng-pāo**
sauté de poulet émincé	宫保鸡丁	**kōng păo tjī tīng**
soupe aux nouilles	汤面	**t'āng miènn**
soupe pékinoise	酸辣汤	**souànn là t'āng**
soupe de raviolis	馄饨	**hòunn-t'ounn**
soupe, bouillon	汤	**t'āng**
je n'en peux plus !	吃不下了	**tch'.¯ póu hsià le !**
ça suffit, assez !	够了	**kòou le**

B6 Entraînez-vous !

A Tentez de dire en chinois :

1. Peut-on régler en régler en francs français ici ?
2. Quelles cigarettes désirez-vous ?

B Essayez de comprendre :

1. **ninn te p'éng-iou iào tch'.´-tào le**
2. **tchèï ch.` tchăo nínn te tj'iénn**

SOLUTIONS

A

1. **tchèr k'é-ĭ fòu Fa-kouó fă-láng ma ?**
2. **nínn hsĭ-houānn chém-me iēnn ?**

B

1. Votre ami aura du retard.
2. Voici votre monnaie.

■ *La cuisine chinoise*

• contrairement à une idée reçue, les Chinois ne mangent du *riz* (**tà-mĭ** 大米) que dans le sud (dans le nord on mange davantage de *blé*, **hsiăo màï** 小麦). Combien de voyageurs ont été surpris de constater qu'on ne leur servait pas de riz, sauf sur commande, dans les restaurants un tant soit peu huppés !

• il n'est pas d'usage de boire de l'alcool avant ou après le repas, mais seulement pendant, sans oublier de porter des toasts aux autres convives.

• la soupe se sert à la fin du repas, pour mieux le faire descendre, et en même temps permet de nettoyer le *wok*, **kouō** 锅 (casserole à fond creux).

• *cuisines locales*

La cuisine chinoise est délicieuse et varie suivant les provinces. La tradition populaire dit : (dans la province du) Shanxi on mange *vinaigré* (**Chānn-hsī tch'.¯ souànn de** 山西吃酸的), dans celle du Sichuan on mange *pimenté* (**S.`-tch'ouānn tch'.¯ là te** 四川吃辣的), dans celle du Shaanxi on mange *salé* (**Chănn-hsī tch'.¯ hsiénn te** 陕西吃咸的) et dans celle de Shanghai on mange *sucré* (**Chàng-hăï tch'.¯ t'iénn te** 上海吃甜的)

• Le plat le plus connu à l'étranger est le *canard laqué de Pékin* **Pĕï-tjīng k'ăo-iā** 北京烤鸭. La cuisine de Canton est célèbre pour ses *Dim-sum* (mandarin : **tiĕnn-hsīnn** 点心), petits plats servis sur des chariots. Les Cantonais sont également connus pour "manger tout ce qui a quatre pattes sauf les tables". Le *fromage de soja épicé*, **mā p'ó tòou-fou** 麻婆豆腐est une spécialité du Sichuan servi dans toute la Chine.

B7 La nature

tà ts.`-jánn

nature (la)	大自然	**tà ts.`-jánn**
sentier, chemin	小路	**hsiăo-lòu**
montagne	山	**chānn**
sommet	山顶	**chānn-tĭng**
fatigué	累	**lèï**
reposer (se)	休息	**hsioū-hsi**
campagne	乡下	**hsiāng-hsià**
village	村子	**ts'ōunn-ts.**
cheval	马	**mă**
chat	猫	**māo**
chien	狗	**kŏou**
mordre	咬	**iăo**
fesses (les)	屁股	**p'í-kou**
étang, bassin, mare	池塘	**tch'.´-t'áng**
lac	湖	**hóu**
moustique	蚊子	**ouénn-ts.**
crème anti-moustique	防蚊霜	**fáng-ouénn-chouāng**
éventail	扇子	**chànn-ts.**
parapluie	雨伞	**iú-sănn**
rivière, fleuve	河, 江	**hé, tjiāng**
source	水源	**chouĕï-iuánn**
cascade	瀑布	**p'òu-pòu**
pont	桥	**tj'iáo**
forêt	森林	**sēnn-línn**
arbre	树	**chòu**
oiseau	鸟	**niăo**
dans les branches	树枝上	**chòu-tch.¯ chang**
vigne, raisin	葡萄	**p'óu-t'ao**
pêcher	打鱼	**tă-iú**
poisson	鱼	**iú**
champ, terre cultivée	田	**t'iénn**
paysan, agriculteur	农民	**nóng-mínn**
récolter	收割	**chōou-kē**
orge	大麦	**tà-màï**
coton	棉花	**miènn-houā**
blé	小麦	**hsiăo-màï**
millet	谷子	**kŏu-ts.**
soja	大豆	**tà-tòou**
animal sauvage	野兽	**iè˘-chòou**
singe	猴子	**hóou-ts.**
panda	熊猫	**hsióng-māo**
serpent (venimeux)	毒蛇	**tóu-ché**
rat, souris	老鼠	**lăo-chou**
insecte	虫	**tch'óng**

B7 Entraînez-vous !

A Tentez de dire en chinois :

1. Quand est la récolte du blé ici ?
2. Est-il permis de pêcher ici ?
3. Y-a-t-il des singes dans la montagne ?

B Essayez de comprendre :

1. **iŏou jénn tchăo nínn**
2. **nínn iào í fènn pào-tch.ˇ ma ?**
3. **tchèr iŏou méï iŏou toú-ché ?**

SOLUTIONS

A

1. **hsiăo-màï chém-me ch.´-hòou chōou-kē ?**
2. **tchèr k'é-ĭ tă-iú ma ?**
3. **chānn chang iŏou méï iŏou hóou-ts. ?**

B

1. Quelqu'un vous a demandé.
2. Désirez-vous un journal ?
3 Y a-t-il des serpents venimeux ici ?

■ *Les couleurs*

Les mots désignant les couleurs simples sont monosyllabiques, suivis généralement du mot **sè**, *couleur*, 色 quand ils sont employés comme noms, les couleurs composées sont dissyllabiques :

rouge, **hóng** 红 — *bleu(e)*, **lánn** 蓝
vert(e), **lù** 绿 — *blanc(he)*, **páï** 白
noir(e), **hēï** 黑 — *jaune*, **houáng** 黄
rose, **fĕnn-hóng**, 粉红 — *orange*, **tch'éng-houáng** 橙黄
marron, **lì-sè**, 栗色 — *violet(te)*, **ts.ˇ** 紫
mauve, **hóng-ts.ˇ**, 红紫 — *bleu-vert*, **tj'īng** 青

• *Quelques expressions avec les couleurs*

J'aime le vert **ouŏ hsĭ-houānn lü` sè** 我喜欢绿色 /je/aimer/rouge/couleur
C'est rouge **tchèï ch.` hóng te** 这是红的 /ceci/être/rouge/**te**
J'en veux un bleu **ouŏ iào lánn te** 我要蓝的 /je/vouloir/bleu/**te**
Le rouge vous va bien **hóng-sè hĕnn hé.-ch.** 红色很合适 (rouge/couleur/très/convenir)
Les fleurs ont jauni **houā houáng le** 花黄了 (fleur/jaune/devenir/**le**)
Elle a rougi **t'ā liĕnn hóng le** 她脸红了 (elle/visage/rouge/devenir/**le**)

La couleur du mariage est le rouge, qui est également celle du communisme, le blanc - ou plutôt l'absence de couleur- est celle du deuil. Le jaune était la couleur de l'empereur. Dans l'antiquité, les couleurs correspondaient également aux saisons : été/rouge, automne/blanc, hiver/noir, printemps/vert.

randonner	远走	**iuánn-tsŏou**
marcher, faire route	走路	**tsŏou-lòu**
camper, bivouaquer	露营	**lòu-íng**
pique-nique	野餐	**iĕ-ts'ānn**
allumer un feu	点火	**tiénn-houŏ**
entorse	扭伤	**niŏou-chāng**
se promener, flâner	散步	**sànn-pòu**
gravir une montagne	登山	**tēng-chānn**
ramer	划船	**houá-tch'ouánn**
être en vacances	放假	**fàng-tjià**
lunettes de soleil	太阳镜	**t'àï-iáng-tjìng**
prendre un bain de soleil	晒太阳	**chàï t'àï-iáng**
prendre un coup de soleil	晒红	**chàï hóng**
ombrelle	伞	**sănn**
mer	海	**hăï**
bord de mer	海边	**hăï-piēnn**
grève, plage	沙滩	**chā-t'ānn**
sable	沙子	**chā-ts.**
nager	游泳	**ióou-iŏng**
danger, dangereux	危险	**ouēï-hsiĕnn**
pollution	污染	**ōu-jánn**
requin	鲨鱼	**chā-iú**
se noyer	淹死	**iēnn-s.ˇ**
piscine	游泳池	**ióou-iŏng-tch'.ˊ**
caleçon de bain	游泳裤	**ióou-iŏng-k'òu**
maillot de bain	游泳衣	**ióou-iŏng-ī**
tennis	网球	**ouăng-tj'ióou**
court de tennis	网球场	**ouăng-tj'ióou-tch'ăng**
raquette de tennis	网球拍	**ouăng-tj'ióou-p'āï**
filet de tennis	网球网	**ouăng-tj'ióou-ouăng**
football	足球	**tsóu-tj'ióou**
terrain de football	足球场	**tsóu-tj'ióou-tch'ăng**
équipe de football	足球队	**tsóu-tj'ióou-touèï**
match de football	足球赛	**tsóu-tj'ióou-sàï**
jouer (balle)	打球	**tă tj'ióou**
but , goal	球门	**tj'ióou-ménn**
gagner	赢	**íng**
perdre	输	**chōu**
équipe	队	**touèï**
champion	冠军	**kouànn-tjūnn**
skier	滑雪	**houā-hsuĕ**
basket-ball	篮球	**lánn-tj'ióou**
ballon	皮球	**p'í-tj'ióou**
match	比赛	**pĭ-sàï**
gagner par deux à un	以二比一取胜	**ĭ èr pĭ ī tj'ŭ-chèng**

B8 Entraînez-vous !

A Tentez de dire en chinois :

1. Nous avons gagné trois à un
2. Il est dangereux de nager à cet endroit
3. J'aime me faire bronzer au bord de la mer

B Essayez de comprendre :

1. **nǐ chǒu lóng ma?**
2. **nínn houèï póu houèï tă lánn-tj'ióou ?**

SOLUTIONS

A

1. **ouǒ-menn ǐ sānn pǐ ī tj'ǔ-chèng le**
2. **tchè ke tì-fāng ióou-iǒng hěnn ouēï-hsiěnn**
3. **ouǒ hsǐ-houānn tsàï hăï-piēnn chàï t'àï-iáng**

B

1. Es-tu du signe du dragon ?
2. Savez-vous jouer au basket ?

■ *Les signes du zodiaque chinois* :

Dans l'antiquité, on comptait les années en cycle de 12 ans, temps que met la planète Jupiter à parcourir les signes du zodiaque. A ce cycle de 12 ans étaient associés 12 *Rameaux Terrestres* **tì-tch.ˇ** 地支, servant aussi à désigner les 12 mois de l'année, les 12 divisions de la journée et les 12 directions. A ces 12 *Rameaux Terrestres*, représentant chacun une année, furent associés 12 animaux, censés correspondre au caractère et à la personnalité des individus. Ce cycle se répète tous les 12 ans : connaître le signe de quelqu'un c'est donc connaître son âge. Signes et années correspondantes :

rat	**chǒu**	鼠	1924	1936	1948	1960	1972	1984
buffle	**nióou**	牛	1925	1937	1949	1961	1973	1985
tigre	**hǒu**	虎	1926	1938	1950	1962	1974	1986
lièvre	**t'òu**	兔	1927	1939	1951	1963	1975	1987
dragon	**lóng**	龙	1928	1940	1952	1964	1976	1988
serpent	**ché**	蛇	1929	1941	1953	1965	1977	1989
cheval	**mă**	马	1930	1942	1954	1966	1978	1990
mouton	**iáng**	羊	1931	1943	1955	1967	1979	1991
singe	**hóou**	猴	1932	1944	1956	1968	1980	1992
coq	**tjī**	鸡	1933	1945	1957	1969	1981	1993
chien	**kǒou**	狗	1934	1946	1958	1970	1982	1994
porc	**tchōu**	猪	1935	1947	1959	1971	1983	1995...

Je suis du signe du serpent: **ouǒ chǒu ché** 我属蛇 /je/appartenir/serpent

De quel signe êtes-vous ? **nínn chǒu chém-me** 您属什么？ /vous/appartenir/quoi

comment va-t-on ?	怎么走？	**tsěm-me tsǒou ?**
se renseigner	打听	**tă-t'īng**
plan	地图	**tì-t'ŏu**
centre ville	市中心	**ch.` tchōng-hsīnn**
banlieue	郊区	**tjiāo-tj'ū**
ce n'est pas loin	不远	**pòu iuǎnn**
c'est tout près	很近	**hěnn tjìnn**
allez tout droit	一直走	**ì-tch.´ tsǒou**
à droite	右边	**iòou-pienn**
à gauche	左边	**tsouǒ-pienn**
à l'est	东边	**tōng-pienn**
à l'ouest	西边	**hsī-pienn**
au sud	南边	**nánn-pienn**
au nord	北边	**pěï-pienn**
taxi	出租汽车	**tch'ōu-tsōu-tj'ì-tch'ē**
compteur	计程表	**tjì-tch'éng-piǎo**
autobus	公共汽车	**kōng-kòng-tj'ì-tch'ē**
route, ligne (bus)	路	**lòu**
chauffeur	司机	**s.¯-tjī**
voiture	汽车	**tj'ì-tch'ē**
conducteur	开车的	**k'āï-tch'ē-te**
essence	汽油	**tj'ì-ióou**
se garer	停车	**t'íng-tch'ē**
parking, garage	停车场	**t'íng-tch'ē-tch'ăng**
station d'essence	加油站	**tjiā-ióou tchànn**
métro	地铁	**tì-t'iě**
ticket, billet	票	**p'iào**
tramway	电车	**tiènn-tch'ē**
embouteillage	堵车	**tŏu-tch'ē**
boulevard périphérique	环城路	**houánn-tch'éng-lòu**
boulevard, avenue	大街	**tà-tjiē**
rue	街	**tjiē**
ruelle	胡同	**hóu-t'óng**
feux	红绿灯	**hóng-lù-tēng**
carrefour	十字路口儿	**ch.´-ts.`-lòu-k'ǒou**
trottoir	人行道	**jénn-hsíng-tào**
monter à vélo	骑自行车	**tj'í ts.`-hsíng-tch'ē**
louer	租	**tsōu**
bicyclette	自行车	**ts.`-hsíng-tch'ē**
moto, motocyclette	摩托车	**mó-t'ouō-tch'ē**
emprunter, prêter	借	**tjiè**
incident, accident	事故	**ch.`-kòu**
souffrir de blessures	受伤	**chòou-chāng**
ambulance	救护车	**tjiòou-hòu-tch'ē**
c'est cassé	坏了	**houàï le**
réparer	修理	**hsiōou-lĭ**

B9 Entraînez-vous !

A Tentez de dire en chinois :

1. Il est interdit de se garer ici
2. Pouvez-vous me renseigner ?

B Essayez de comprendre :

1. **hénn iuǎnn, iào tsouò kōng-kòng-tj'ì-tch'ē**
2. **sānn lòu kōng-kòng-tj'ì-tch'ē tchànn tsàï nǎ-li ?**

SOLUTIONS

A

1. **tchèr pòu néng t'íng tch'ē**
2. **tj'ǐng tǎ-t'ǐng tǎ-t'ǐng**

B

1. C'est loin, il faut prendre le bus
2. Où est l'arrêt du bus n° 3 ?

■ *Circuler en ville*

En ville on circule à vélo, en autobus, en métro (dans un nombre croissant de grandes villes), en taxi, ou en minibus.

• le *vélo*, **ts.`-hsíng-tch'ē** 自行车 devient de plus en plus difficile à utiliser en raison de la circulation automobile qui a récemment beaucoup augmenté, mais ce moyen reste encore des plus agréables dans les petites villes (moins de deux millions d'habitants) et dans les campagnes environnantes. On peut en louer ou en acheter partout (à des prix pour étrangers), mais attention au vol. En outre, même dans les villes les règles de circulation sont peu respectées et le danger est réel, y compris de la part d'autres cyclistes.

• l'*autobus*, **kōng-kòng-tj'ì-tch'ē** 公共汽车 est en général bondé mais les lignes sont nombreuses. Les gens n'attendent pas que les voyageurs descendent pour monter et il s'ensuit à chaque fois une bousculade. Faites comme eux, dégagez la voie en profitant de l'effet de surprise que vous créez par votre seule présence. Si on vous offre un siège (mais les bonnes manières se perdent), ne refusez pas sous peine de faire perdre la face à la personne qui pensait vous faire plaisir. Il existe aussi des lignes de minibus privés qui sont très efficaces, bien qu'un peu plus chères.

• le *taxi*, **tch'ōu-tsōu-tj'ì-tch'ē** 出租汽车 ne déroge pas à la tradition universelle. Les compteurs sont souvent inutilisés - sauf si vous le mettez vous-même en marche - et si vous négociez le prix au départ, il risque d'être fort différent à l'arrivée, le chauffeur prétendant que vous n'avez pas compris.

• le *cyclo-pousse*, **sānn-lóunn tch'ē** 三轮车 est en voie de disparition. Et c'est tant mieux. Il était pénible -mais moins que pour l'intéressé- de voir le malheureux conducteur couvert de sueur tandis qu'on se prélassait sur le siège derrière lui. Certains sont à moteur.

touriste	旅游者	**lú-ióou-tchě**
guide	导游	**tăo-ióou**
interprète	翻译	**fānn-ì**
faire du tourisme	旅游	**lŭ-ióou**
faire une excursion	游览	**ióou-lănn**
étranger (normal)	外国人	**ouàï-kouó-jénn**
étranger (familier)	老外	**lăo-ouàï**
diable étranger (insulte)	洋鬼子	**iáng-kouĕï-ts.**
grand-nez (pas très poli)	大鼻子	**tà pí-ts.**
visiter	参观	**ts'ānn-kouānn**
gratuit	免费	**miĕnn-fèï**
payant	收费的	**chòou-fèï te**
musée	博物馆	**pó-où-kouănn**
palais	宫殿	**kōng-tiènn**
exposition	展览会	**tchánn-lănn-houèï**
pagode, tour	塔	**t'ă**
temple	庙	**miào**
monastère	寺	**s.̀**
Bouddha	佛	**fó**
moine bouddhiste	和尚	**hé-chang**
mosquée	清真寺	**tj'īng-tchēnn-s.̀**
église	教堂	**tjiào-t'áng**
interdit de fumer	禁止吸烟	**tjìnn-tch.̌ hsī-iēnn**
c'est fermé	关门了	**kouānn ménn le**
c'est le jour de fermeture	今天休息	**tjīnn-t'iēnn hsiōou-hsi**
carte postale	明信片	**míng-hsìnn-p'iènn**
prendre des photos	照相	**tchào-hsiàng**
interdit de photographier	严禁拍照	**iénn-tjìnn p'āï-tchào**
photo	照片	**tchaò-p'iènn**
pellicule	胶卷	**tjiāo-tjuànn**
négatif	底片	**tĭ-p'iènn**
développer	冲	**tch'ōng**
film	片子	**p'iènn-ts.**
filmer	摄影	**chè-ĭng**
100 ASA	一百度	**ì-păï tòu**
diapositive	幻灯片	**houànn-tēng-p'iènn**
sortir	出去	**tch'ōu-tj'u**
aller au spectacle	去看戏	**tj'ù k'ànn-hsì**
soir, soirée	晚上	**ouănn-chang**
night-club, boîte de nuit	夜总会	**iè-tsŏng-houèï**
cinéma, film	电影院	**tiènn-ĭng-iuànn**
musique	音乐	**īnn-iuè**
séance	场	**tch'ăng**
opéra chinois	戏剧	**hsì-tjù**
cirque	杂技	**tsá-tjì**
caisse, guichet	票房	**p'iào-fáng**

B10 Entraînez-vous !

A Tentez de dire en chinois :

1. Je voudrais un guide parlant français
2. Y a-t-il un plan de Pékin ?
3. Quelle nouvelle exposition y a-t-il ?

B Essayez de comprendre :

1. **tchèï ke t'ă touó kaō ?**
2. **tchèï ke kōng-iuánn ch.` pòu ch.` miĕnn-fēï ?**
3. **ouŏ-menn iào tsàï tchèr tāï touō-tjiŏou ?**

SOLUTIONS

A

1. **ouŏ iào í-ke fă-kouó-houà tăo-ióou**
2. **iŏou Pĕï-tjīng tì-t'ŏu ma ?**
3. **iŏou chém-me hsīnn te tchănn-lánn houèï ?**

B

1. Quelle est la hauteur de cette tour ?
2. Ce parc est-il gratuit ?
3. Combien de temps resterons-nous ici ?

■ *Soirée en Chine*

Les jeunes passent une partie de leurs soirées dans les *karaoké*, **k'ă-lā-o-k'ei** 卡拉OK, dans les *disco*, **tí-s.¯-k'è ŏu-t'īng** 迪斯克舞厅 (disco/ dancing) et dans les *boîtes de nuit*, **iè-tsŏng-houèï** 夜总会, lieux où l'on *se fait des amis*, **tjiāo p'éng-iŏu** 交朋友 ou bien où l'on *drague*, **tchouēï koū-niáng** (poursuivre/jeune fille) 追姑娘, pour les plus osés.

D'autres jeunes et moins jeunes fréquentent les *dancing*, **t'iào-ŏu-t'īng** 跳舞厅. On peut également aller passer la soirée au *restaurant*, **fànn-kouănn** 饭馆, dans les *maisons de thé*, **tch'á-kouănn** 茶馆, devenues plus rares, ou dans les *bars*, **tjiŏou pa** 酒巴.

Pour les amateurs de culture, on peut se rendre à l'*opéra de Pékin*, **tjīng-tjù** 京剧.Tombé en désuétude depuis de nombreuses années, particulièrement chez les jeunes générations, l'opéra connaît cependant une renaissance certaine. Généralement peu apprécié des visiteurs occidentaux, à cause de sa musique étrange pour une oreille non-habituée, il devient vite envoûtant pour quelqu'un de persévérant. Les airs y sont répertoriés comme dans notre opéra classique et les amateurs ponctuent les airs bien exécutés de *bravo !* **hăo !** 好 ! Les histoires sont tirées de romans populaires comme le *Roman des Trois Royaumes*, **sānn kouó iĕnn-ì** 三国演义 ou des histoires traditionnelles comme le *Serpent Blanc*, **páï ché-tchouānn** 白蛇专. Il existe égale-ment des opéras locaux dont les plus connus sont le *Yueju*, **iuè tjù** 粤剧 de Canton et le *Yueju*, **iuè tju`** 越剧 de la région de Shanghai.

prévisions météo	天气预报	**t'iènn-tj'i-iù-pào**
ciel	天空	**t'iēnn-k'ōng**
journée ensoleillée	晴天	**tj'īng-t'iēnn**
mauvais temps	阴天	**īnn-t'iēnn**
beau temps	晴	**tj'īng**
couvert, nuageux	阴	**īnn**
nuage	云彩	**iúnn-ts'ăï**
soleil	太阳	**t'àï-iáng**
lune	月亮	**iué-liăng**
satellite	卫星	**ouèï-hsīng**
clair de lune	月光	**iuè-kouāng**
étoile	星星	**hsīng-hsīng**
croissant de lune	月牙	**iuè-iá**
romantique	浪漫的	**láng-mànn te**
saison des pluies	雨季	**iŭ-tjì**
pluie	雨	**iŭ**
pleuvoir	下雨	**hsià-iŭ**
parapluie, ombrelle	伞	**sănn**
averse, pluie battante	暴雨	**pào-iŭ**
inondation	水灾	**chouĕï-tsāï**
arc-en-ciel	虹	**hóng**
tempête	暴风雨	**pào-fēng-iŭ**
tempête en mer	风浪	**fēng-láng**
cyclone, tornade	旋风	**hsuànn-fēng**
faire des éclairs	打闪	**tá-chănn**
éclair	闪电	**chănn-tiènn**
faire du tonnerre	打雷	**tă-léï**
tonnerre	雷	**léï**
marée	潮	**tch'áo**
chaud, avoir chaud	热	**jè**
souffrir de la chaleur	受热	**chòou-jè**
sécheresse	旱灾	**hànn-tsāï**
brouillard, brume	雾	**òu**
humide	潮湿	**tch'áo-ch.¯**
neiger	下雪	**hsià-hsuĕ**
neige	雪	**hsuĕ**
boule de neige	雪球	**hsuĕ-tj'ióou**
geler, être frigorifié	冻	**tòng**
dégeler, fondre	解冻	**tjiĕ-tòng**
vent	风	**fēng**
vent de sable	风沙	**fēng-chā**
venter, faire du vent	刮风	**kouā (fēng)**
grand vent	大风	**tà-fēng**
poussière	尘土	**tch'énn-t'ŏu**
volcan	火山	**houŏ-chānn**
cendre	灰	**houēï**

B11 Entraînez-vous !

Tentez de dire en chinois :

1. Quel temps fera-t-il demain ?
2. Il va bientôt pleuvoir
3. Il fait beaucoup de vent

SOLUTIONS

A

1. **míng-t'iēnn t'iēnn-tj'ì houèï tsĕnn-me-iàng ?**
2. **k'ouàï hsià-iŭ le**
3. **kouā tà fēng**

■ *La Chine et la pollution*
D'après certains chercheurs, la Chine serait à la veille d'une catastrophe écologique d'envergure. Les causes de catastrophes ne manquaient déjà pas : *inondations*, **chouĕï- tsāï** 水灾 des grands fleuves, *séche-resses*, **hànn-tsāï** 旱灾, *tremblements de terre*, **tì-tchènn** 地震, glisse-ments de terrain, *typhons*, **t'áï-fēng** 台风... S'y ajoutent maintenant celles provoquées par l'homme à une échelle jamais vue auparavant :
• avancée sur la *forêt*, **sēnn-línn** 森林 qui ne couvre déjà plus que 12 % du territoire et qui aboutit à l'érosion des sols, donc à une perte pour l'agriculture.
• émission massive de SO2 (environ 10 fois plus que la France) dans les grandes villes, causée par l'emploi du charbon, et qui est à l'origine de pluies acides qui on déjà détruit des milliers d'hectares de forêts dans le sud.
• *pollution*, **ōu-jănn** 污染 de l'eau : c'est la plus grave actuellement. On estime que plus de la moitié des Chinois consomment de l'eau polluée. Les eaux industrielles non traitées, les polluants organiques, les déchets des citadins sont à l'origine de cette pollution, qui se répand également dans les mers avoisinantes.
• un impressionnant arsenal de lois a été promulgué (230 nouvelles normes récentes) mais il n'est toujours pas appliqué, tant fait rage la course à l'enrichissement. Malgré la présence de nombreux parcs nationaux, l'extermination d'espèces menacées (*panda*, **hsióng-máo** 熊猫, pangolin, *tigre*, **láo-hŏu** 老虎, *ours*, **hsióng** 熊 et même serpents, cerfs du Tibet, etc) continue, entretenue par les soit-disant pouvoirs curatifs, culinaires ou aphrodisiaques de telle ou telle partie de l'animal.
• la cupidité des entreprises étrangères, cherchant à remporter le n[ième] "contrat du siècle", accélère également la pollution en Chine : la volonté de la part de grandes marques d'automobiles d'équiper la Chine en voitures individuelles, l'"aide"-moyennant finances - apportée pour la construction du grand barrage sur le Yang-tsé, qui, d'après les experts, risque de devenir la prochaine grande catastrophe écologique mondiale.

téléphone	电话	**tiènn-houà`**
téléphoner	打电话	**tă tiènn-houà**
annuaire téléphonique	电话簿	**tiènn-houà-pòu**
cabine téléphonique	电话亭	**tiènn-houà-t'īng**
téléphone public	公用电话	**kōng-iòng tiènn-houà**
un appel, un coup de fil	一个电话	**í ke tiènn-houà**
prendre une communication	接电话	**tjiē tiènn-houà**
ne pas arriver à avoir la communication	打不通	**tă pòu t'ōng**
passer un coup de fil	打一个电话	**tă í ke tiènn-houà**
Allo !	喂	**ouèï !**
qui est à l'appareil ?	你哪儿?	**ní năr ?**
la ligne est occupée	占线	**tchànn hsiènn**
ligne téléphonique	电话线	**tiènn-houà hsiènn**
numéro	号码	**hào-mă**
numéro de téléphone	电话号码	**tiènn-houà hào-mă**
un (pour les numéros)	幺	**iāo**
appeler en PCV	对方付款	**touèï-fāng fòu-k'ouànn**
appel interurbain	长途电话	**tch'áng-t'óu tiènn-houà**
appel international	国际电话	**kouó-tjì tiènn-houà**
avoir la ligne	接通	**tjiē-t'ōng**
annuler un appel	取消电话	**tj'ŭ-hsiāo tiènn-houà**
poste	分机	**fēnn-tjī**
erreur de numéro	打错了	**tă-ts'ouò le**
obtenir la ligne	接线	**tjiē-hsiènn**
décrocher, répondre	接	**tjiē**
la ligne est coupée	断线了	**touànn hsiènn le**
attendre	等	**tĕng**
qui demandez-vous ?	您找谁?	**ní tchăo cheî ?**
composer (sur un cadran)	拨	**pō**
composer le zéro	拨零	**pō líng**
laisser un message	留言	**lióou iénn**
raccrocher	挂上	**kouà-chang**
courrier électronique,	电子通讯	**tiènn-ts. t'ōng-hsùnn**
répondeur	留言电话	**lòu-iénn tiènn-houà**
téléphone portable	手提	**chŏou-t'í**

ne quittez pas 别把电话挂上 **pié pă tiènn-houà kouà-chang**

quel est ton numéro de téléphone ? 你的电话号码是多少?
nĭ te tiènn-houà hào-mă ch.` touō-chăo

le numéro ne répond pas 电话没人接 **tiènn-houà mèï jénn tjiē**

B12 Entraînez-vous !

A Tentez de dire en chinois :

1. Mon numéro de téléphone est le 123 456
2. Je veux passer un coup de fil

B Essayez de comprendre :

1. **hào-mă ts'ouò le**
2. **nínn néng pāng-tchou ouŏ k'ouàï ì-tiĕnn tjiē-t'ōng ma ?**

SOLUTIONS

A

1. **ouŏ te tiènn-houà hào-mă ch.` iāo èr sānn s.` ŏu liòou**
2. **ouŏ iào tă í ke tiènn-houà**

B

1. Il y a erreur de numéro
2. Pouvez-vous m'aider à avoir la ligne un peu plus vite ?

■ *Deux personnages récents célèbres*

• *Mao Zedong* (1893-1976) (**Máo Tsé-tōng** 毛泽东), connu aussi comme le *Président Mao* (**Máo tchŏu-hsí** 毛主席) et fondateur de la *pensée Mao Zedong* (**Máo Tsé-tōng s.¯-hsiăng** 毛泽东思想) illustrée par le *Petit Livre Rouge* pendant la Révolution culturelle. Les Chinois de la rue s'accordent généralement pour lui vouer une grande admiration depuis la *Longue Marche* 长征(1934), fuite des communistes devant les troupes nationalistes, jusqu'à la prise du pouvoir par le *Parti Communiste*, **Kòng-tch'ănn-tăng** 共产党(1949), mais sont plus réservés sur la suite des événements. Mao fut responsable de la mort de millions de Chinois au cours de campagnes économiques ou idéologiques démentielles : *Que les Cent fleurs s'épanouissent* (1956), où les intellectuels se sont épanouis dans les *camps de travail* (**láo-kăi** 老改); le *Grand Bond en Avant* (1958), période pendant laquelle les paysans étaient censés produire leur propre acier, et enfin la *Grande Révolution Culturelle*, **ouénn-houà tà ké-mìng** 文化大革命(1966-1969), dont le but était de créer un homme nouveau et se débarrasser de la bureaucratie.

• Deng Xiaoping (1904-1997) (**Tèng Hsiăo-p'íng** 邓小平). Secrétaire du PCC depuis 1954, il fut limogé et critiqué par les *Gardes rouges*, **hóng ouèï-pīng** 红卫兵 pendant la "Révo Cul" (1966). Il revint au pouvoir en 1977. C'est lui qui lança le fameux slogan : *peu importe que le chat soit blanc ou noir du moment qu'il attrape les souris* (A15, p.63) qui devait déboucher sur les réformes et les profonds changements actuels. C'est lui également qui est responsable de la tragique "bavure" (à l'échelle du pays) de T'ian Anmen (4 juin 1989) perpétrée contre les étudiants demandant des réformes politiques et la fin de la corruption.

B13 à la poste
tsàï ióou-tjú

bureau de poste	邮局	**ióou-tjú**
courrier	信件	**hsìnn-tjiènn**
facteur	邮递员	**ióou-tì-iuánn**
boîte aux lettres	信箱	**hsìnn-hsiāng**
guichet	柜台	**kouèï-t'áï**
poste restante	留局自取	**lióou-tjú-ts.`-tj'ŭ**
lettre	信	**hsìnn**
une lettre	一封信	**ì fēng hsìnn**
lettre anonyme	匿名信	**nì-míng-hsìnn**
lettre expresse	快信	**k'ouàï hsìnn**
lettre recommandée	挂号信	**kouà-hào-hsìnn**
par avion	航空信	**háng-k'òng-hsìnn**
lettre normale	普通信	**p'ŏu-t'ōng-hsìnn**
colis express	急件	**tjí-tjiènn**
papier à lettres	信纸	**hsìnn-tch.ˇ**
enveloppe	信封	**hsìnn-fēng**
stylo	原子笔	**iuánn-ts.-pĭ**
carte postale	明信片	**míng-hsìnn-p'iènn**
mandat	汇票	**houèï-p'iào**
télégramme	电报	**tiènn-pào**
fax	传真	**tch'ouánn-tchēnn**
télex	电传	**tiènn-tch'ouánn**
paquet	包裹	**pāo-kouŏ**
colis	邮包	**ióou-pāo**
imprimés	印刷品	**ìnn-chouā-p'ĭnn**
carton	纸板	**tch.´-pănn**
ouvrir	打开	**tă-k'āï**
fermer	关上	**kouānn-chang**
document	资料	**ts.¯-liào**
interne	内部	**nèï-pòu**
colle	胶水	**tjiāo-chouĕï**
ruban adhésif	胶布	**tjiāo-pòu**
ficelle	绳子	**chéng-ts.**
ciseaux	剪刀	**tjiĕnn-tāo**
tarif	价目表	**tjià-mòu-piăo**
timbre	邮票	**ióou-p'iào**
code postal	邮政编码	**ióou-tchèng-piēnn-mă**
adresse	地址	**tì-tch.ˇ**
destinataire	收件人	**chōou-tjiènn-jénn**
expéditeur	寄件人	**tjì-tjiènn-jénn**
envoyer	寄	**tjì**
écrire une lettre	写信	**hsiĕ hsìnn**
timbrer	贴邮票	**t'iē ióou-p'iào**
remplir (formulaire)	填写	**t'iénn-hsiĕ**
formulaire	表格	**piăo-ké**

B13 # Entraînez-vous !

A Essayez de comprendre :

1. **iŏou mĕï iŏou ouŏ te hsìnn ?**
2. **tjì míng-hsìnn-p'iènn iào touō-chăo tj'iénn ?**
3. **tj'ĭng tă-k'āï tchèï ke pāo-kouŏ**
4. **ióou-tì-iuánn mĕï t'iēnn láï liăng ts'.**

SOLUTIONS

A

1. Y a-t-il du courrier pour moi ?
2. Quel est le prix pour envoyer des cartes postales ?
3. Ouvrez ce paquet, s'il vous plaît.
4. Le facteur vient deux fois par jour.

■ *Envoyer un paquet* **ióou-pāo** 邮包 à l'étranger peut relever du parcours du combattant, à tel point qu'on peut se dire : "on va au tennis ou à la poste ? ". Pas question de faire les deux dans une seule après-midi.
Les *bureaux de poste*, **ióou-tjú** 邮局 ne disposant pas d'un douanier ne peuvent expédier de paquet, puisque l'intérieur doit en être examiné par les *douanes*, **hăi-kouānn** 海关. Il faut donc trouver le bureau de poste approprié, ce qui n'est pas évident, surtout dans les petites villes. Le paquet ne doit pas être fermé : il faut donc se munir de bande adhésive, papier, ficelle et ciseaux, et parfois même de sac en tissu, de fil et d'aiguille, en principe fournis moyennant finance par l'administration, mais dont l'absence se fait souvent sentir.
L'examen proprement dit de l'objet prend un temps fort variable suivant le contenu : si vous expédiez quelque chose qui ressemble tant soit peu à une antiquité, priez l'*Empereur du Ciel*, **T'iēnn-tì** 天帝 d'avoir les documents prouvant que l'objet incriminé a moins de 100 ans d'âge. Sinon attendez-vous à de sévères discussions et peut-être même à un rejet sinon une confiscation. Un petit truc : si vous avez une vraie antiquité, cachez-la au milieu d'objets du même type mais parfaitement banals. Si vous avez affaire à quelqu'un de pas trop tatillon, ça devrait marcher.
Si vous avez des document écrits, priez l'Empereur du Ciel et aussi tous les *bouddhas*, **fó** 佛 de ne pas tomber sur un douanier soupçonneux. Chaque page est épluchée à la loupe, y compris les livres traitant de sujets aussi vitaux pour la Chine que la linguistique historique, des fois qu'on y aurait caché un "*document interne*", **nèï-pòu ts.ˉ-liào** 内部资料 interdit aux étrangers.
Si tout se passe bien, il ne vous restera plus qu'à faire votre paquet, armé de ciseaux, papier, ficelle et bande adhésive que vous aurez vous-même amenés.

habiter	住	**tchòu**
certificat de résidence	户口	**hòu-k'ŏou**
chez soi	在家	**tsàï tjiā**
absent de chez soi	不在家 里	**póu tsàï tjiā-li**
rentrer chez soi	回家	**houéï tjiā**
chambre	房间	**fáng-tjiēnn**
maison	房子	**fáng-ts.**
immeuble	大楼	**tà-lóou**
petit (bâtiment, gens)	矮	**ăï**
haut	高	**kāo**
appartement	套房	**t'ào fáng**
pièce	住房	**tchòu-fáng**
étage	层	**ts'éng**
rez-de-chaussée	一楼	**ì-lóou**
escalier	楼梯	**lóou-tī**
ascenseur	电梯	**tiènn-tī**
maison d'en face	对门	**touèï-ménn**
porte	门	**ménn**
porte de derrière	后门	**hòou-ménn**
ouvrir une porte	开门	**k'āï-ménn**
fenêtre	窗户	**tch'ouāng-hòu**
téléviseur	电视机	**tiènn-ch.`-tjī**
armoire, coffre, caisse	柜子	**kouèï-ts.**
magnétoscope	录像机	**lòu-hsiàng-tjī**
poste de radio	无线电	**óu-hsiènn-tiènn**
chaîne hi-fi	立体音响	**lì-t'ĭ īnn-hsĭang**
salon	客厅	**k'è-t'īng**
salle à manger	饭厅	**fànn-t'īng**
cuisine	厨房	**tch'óu-fáng**
poubelle	垃圾箱	**lā-tjī-hsiāng**
cafard	蟑螂	**tchāng-láng**
machine à laver	洗衣机	**hsĭ-ī-tjī**
réfrigérateur	冰箱	**pīng-hsiāng**
fer à repasser	熨斗	**iùnn-tŏou**
salle de bains	浴室	**iù-ch.`**
baignoire	澡盆	**tsăo-p'énn**
papier hygiénique	卫生纸	**ouèï-chēng-tch.ˇ**
meuble, mobilier	家具	**tjiā-tju**
table, bureau	桌子	**tchouō-ts.**
bureau (pièce)	书房	**chōu-fáng**
pupitre, bureau	书桌	**chōu-tchouó**
chaise, fauteuil	椅子	**ĭ-ts.**
fauteuil roulant	轮椅	**lóunn-ĭ**
sofa, divan, canapé	沙发	**chā-fā**
lit	床	**tch'ouáng**

B14

Entraînez-vous !

A Tentez de dire en chinois :

1. Avez-vous un magnétoscope chez vous ?
2. Ma femme est dans la salle de bains
3. Il n'y a plus de papier hygiénique

SOLUTIONS

A

1. **nǐnn tjiā-li iǒou lòu-hsiàng-tjī ma ?**
2. **ouǒ t'àï-t'àï tsàï iù-ch.` lǐ-pienn**
3. **mĕï iǒou ouèï-chēng-tch.ˇ le**

■ *La géomancie,* **Fēng-Chouĕï** 风水 (vent/eau)
Le **Fēng-Chouĕï** (**Fengshui** en pinyin) est l'ancien système oriental de géomancie. On organise le foyer ou le lieu de travail, de façon à s'assurer la réussite et le bonheur. Très répandu à Hong Kong, Taiwan et parmi la diaspora chinoise, il devient à la mode en Occident.
Quand vous déménagez, vous faites venir l'expert, le **fēng-chouĕï hsiēnn-cheng** 风水先生 (**fengshui**/monsieur). Il examine la maison, et détermine comment l'arranger pour développer une atmosphère favorable. Il s'agit de canaliser le **tj'ì** 气, *courant d'énergie vitale* : chaque immeuble possède son propre mouvement d'énergie, qui peut être dirigé et contrôlé par l'emplacement des meubles ou des objets pour créer un effet bénéfique. L'aspect de l'immeuble, les couleurs, ses portes et ses fenêtres, le paysage environnant, peuvent tous affecter le mouvement du **tj'ì**. Le **fēng-chouĕï hsiēnn-cheng** examine les lieux et établit un plan, prenant en compte les points cardinaux et d'autres éléments de votre personnalité. Il vous suggère alors où disposer les meubles, les miroirs et les plantes. Il veut favoriser un courant harmonieux d'énergie à travers la maison, avec un équilibre de **īnn** 阴 et de **iáng** 阳, les deux polarités présentes dans la nature. Une maison ou un magasin mal disposé sera source de mauvaise chance pour ses habitants.
Par exemple, une grande porte d'entrée est préférable, car elle permet au courant de **tj'ì** de passer sans turbulence. Si la porte est face sud, elle facilite l'entrée de l'énergie propre au sud, c'est à dire une énergie chaude, qui favorise la prospérité - mais trop de ce **tj'ì** peut créer une atmosphère tendue -. Traditionnellement, l'emplacement de l'eau de la maison est de grande importance pour la santé et le bien-être de la famille. Le **fēng-chouĕï** dit que l'eau représente l'argent. Pour cette raison, il y a souvent un aquarium, soigneusement placé, dans une boutique ou une maison.
A Hong Kong et de plus en plus en Chine populaire, on consulte toujours un **fēng-chouĕï hsiēnn-cheng**, aussi bien qu'un architecte, pour construire un nouvel immeuble.

B15 les vêtements
ī-fou

s'habiller	穿衣服	**tch'ouānn ī-fou**
se déshabiller	脱衣服	**t'ouō ī-fou**
se changer	换衣服	**houànn i-fou**
enfiler	穿	**tch'ouānn**
ôter	脱	**t'ouō**
pyjama	睡衣	**chouèï-ī**
robe	连衣裙	**liénn-ī tj'únn**
jupe	裙子	**tj'únn-ts.**
robe chinoise	旗袍	**tj'í-p'áo**
cravate	领带	**lǐng-tàï**
foulard	领巾	**lǐng-tjīnn**
mouchoir	手绢	**chǒou-tjuànn**
gants	手套	**chǒou-t'ào**
soie	丝绸	**s.ˉ-tch'óou**
duvet	绒毛	**jóng-máo**
étoffe, tissu	料子	**liào-ts.**
coton	棉花	**miénn-houā**
laine	羊毛	**iáng-máo**
cuir	皮子	**p'í-ts.**
nylon	尼龙	**ní-lóng**
lunettes	眼镜	**iěnn-tjìng**
raccommoder, repriser	补	**pǒu**
réparer	修理	**hsiōou-lǐ**
habits occidentaux	西服	**hsī-fóu**
veste	褂子	**kouà-ts.**
veste ouatée	棉袄	**miènn-ǎo**
veste doublée	夹袄	**tjiá-ǎo**
veste, veston	上衣	**chàng-ī**
pantalon	裤子	**k'òu-ts.**
short	短裤	**touǎnn-k'òu**
pull-over, chandail	毛衣	**máo-ī**
soutien-gorge	奶罩	**nǎï-tchào**
chapeau, casquette	帽子	**mào-ts.**
col	领子	**lǐng-ts.**
manche	袖子	**hsiòou-ts.**
poche	口袋	**k'ǒou-tàï**
bouton	扣子	**k'òou-ts.**
ceinture de pantalon	裤带	**k'òu-tàï**
élégant, beau	帅	**chouàï**
mince	薄	**páo**
épais	厚	**hòou**
léger	轻	**tj'īng**
lourd	重	**tchòng**
aller (taille)	合身	**hé-chènn**
aller (style)	合适	**hé. ch.**

B15 Entraînez-vous !

A Tentez de dire en chinois :

1. Ce pantalon ne me va pas, il est trop petit
2. Je voudrais essayer cette jupe
3. Je préfère le rouge

SOLUTIONS

A

1. **tchèï tjiènn k'òu-ts. pòu hé-chēnn, t'àï hsiăo**
2. **ouŏ iào ch.` í ch.` tchèï tjiènn tj'únn-ts.**
3. **ouŏ tsouèï hsĭ-houānn hóng te**

■ *Les religions* (**tsōng-tjiào** 宗教) :

• *Bouddhisme*, **fó-tjiào** 佛教 : Introduit en Chine à l'époque des Han, il devint florissant à l'époque des Tang (VIIIe siècle). Un roman célèbre, le *Voyage vers l'Occident*, **hsī-ióou-tjì** 西游记, raconte comment le moine āan Zang (Samsara) a ramené les soutras d'Inde. La doctrine bouddhique cherche à atteindre le nirvana et à échapper au karma en triomphant de ses désirs.

•*Taoïsme*, **tào-tjiào** 道教. Il est basé sur la croyance aux esprits, intègre le *livre de la Voie et de la Vertu*, **Tào-té-tjīng** 道德经 de **Lăo-ts.ˇ** 老子 et les notions philosophiques de yin et de yang. Croyant en l'immortalité atteinte par des pratiques diététiques, sexuelles et alchimistes, les taoïstes honorent les esprits, recherchent la longévité et le bonheur.

• *Confucianisme*, **k'ŏng-hsué** 孔学. Il s'agit d'une pensée organisatrice de la société, résumée dans les *Entretiens de Confucius*, **lòunn iŭ** 论语. Pour beaucoup d'intellectuels chinois, le Confucianisme, qui se réfère à l'Antiquité comme à un âge d'or, et dont les maîtres mots sont les rites, la fidélité au prince et aux ancêtres, serait la source de la rigidité de la société chinoise traditionnelle.

• *Islam*, **ī-s.¯-lán tjiào** 伊斯兰教. Très répandu dans l'ouest de la Chine (population d'origine turque). Certains troubles et attentats récents dans le Xinjiang laissent à penser que les fondamentalistes commencent eux-aussi à s'agiter en Chine.

• *Christianisme*, **tjī-tōu tjiào** 基督教. Malgré la présence de nombreux missionnaires souvent déguisés en enseignants d'anglais, on ne peut pas dire, grâce à Dieu, que le christianisme soit très répandu en Chine.

Position du gouvernement chinois sur la religion : deux décrets récents stipulent que (1) "*les étrangers n'ont pas le droit de se livrer à des activités religieuses ; il est interdit d'introduire en Chine des ouvrages de propagande religieuse*" et (2) "*les activités religieuses locales ne doivent pas nuire à l'unité des peuples, du pays et à la stabilité sociale ni devenir une force d'opposition au système d'éducation nationale. Toutes les activités religieuses doivent être déclarées aux autorités locales*".

faire les courses	买东西	**mǎï tōng-hsi**
le marché	市场	**ch`.-tch'ǎng**
marchander	讨价还价	**t'ǎo-tjià houánn-tjià**
que voulez-vous acheter?	你想买什么?	**ní hsiǎng mǎï chēm-me ?**
beau	好看	**haŏ-k'ànn**
c'est combien ?	多少钱?	**touō-chǎo tj'iénn ?**
ça coûte 10 yuans	这个十块钱	**tchèï-ke ch.´ k'ouàï tj'iénn**
c'est trop cher !	太贵了	**t'àï kouèï le !**
bon marché	便宜	**p'iénn-i**
est-ce en pure soie ?	是真丝的吗	**ch.` tchēnn-s.¯ te ma ?**
rendre la monnaie	找钱	**tchǎo tj'iénn**
petite monnaie	零钱	**líng-tj'iénn**
merci	谢谢	**hsiè-hsie**
reçu, récépissé	收条	**chōou-t'iáo**
montre-bracelet	手表	**chóou-piǎo**
bijoux	首饰	**chŏou ch.**
anneau, bague	戒指	**tjiè-tch.**
collier	项链	**hsiàng-liènn**
kilo	公斤	**kōng-tjīnn**
livre (une)	斤	**tjīnn**
antiquité	古董	**kóu-tŏng**
vase décoratif	花瓶	**houā-p'íng**
magasin, boutique	商店	**chāng-tiènn**
vendeur	售货员	**chòou-houò-iuánn**
grand magasin	百货大楼	**pǎï-houò-tà-lóou**
bazar, grand magasin	百货公司	**pǎï-houò-kōng-s.**
acheter	买	**mǎï**
vendre	卖	**màï**
solder, soldes	减价	**tjiěnn-tjià**
argent liquide	现金	**hsiènn-tjīnn**
chèque sans provision	空头支票	**k'ōng-t'óou tch.¯-p'iào**
chèque	支票	**tch.¯-p'iào**
carte de crédit	信用卡	**hsìnn-iòng-k'ǎ**
acheter d'occasion	买旧的	**mǎi tjiòou-te**
commander, commande	定货	**tìng-houò**
sac à main	手提包	**chŏou-t'í-pāo**
faire attention	小心	**hsiǎo-hsīnn**
pickpocket	扒手	**p'á-chŏou**
voler	偷	**t'ōou**
en or	金子的	**tjīnn-ts. te**
argent	银子	**ínn-ts.**
cuivre, bronze	铜	**t'óng**
authentique	真正	**tchēnn-tchèng**
reproduction	复制品	**fòu-tch.`-p'ǐnn**
défaut	毛病	**máo-pìng**

B16 Entraînez-vous !

A Tentez de dire en chinois :

1. Je voudrais acheter de la soie
2. Il y a un défaut ici
3. Je veux acheter un kilo de bananes

SOLUTIONS

A

1. **ouŏ hsiăng măï ì-tiĕnn s.̄-tch'óou**
2. **tchèr iŏou máo-pìng**
3. **ouŏ hsiăng măï ì kōng-tjīnn hsiāng-tjiāo**

■ *Les noms étrangers en chinois*
Comme on l'a vu en A16 pour les noms de pays, les noms propres étrangers sont généralement transcrits par des caractères dont le son est proche de la langue étrangère : **Aì-ĕr-lánn**, *Irlande*.
S'il s'agit de personnes célèbres, on crée parfois un nom qui a en même temps un semblant de signification : **Tàï Kāo-lè**, *De Gaulle* (porter/haute/joie : *qui apporte une grande joie*). Le Général avait en effet été le premier parmi les Occidentaux à reconnaître la Chine populaire.
Pour les noms communs d'origine étrangère, la tendance générale est à la traduction :
houŏ-tch'ē, *train* (feu/véhicule)
tiènn-năo, *ordinateur* (électrique/cerveau)
tjī-ouĕï-tjiŏou *cocktail* (poule/queue/alcool) Traduction mot-à-mot !
• certains mots nouveaux arrivent quelquefois d'abord comme des calques phonétiques, par exemple les mots récents :
mĕï-tjie, *médias*
ní-lóng, *nylon* (mot emprunté à l'anglais).
sānn-míng-tch.̀ , *sandwich*
• cependant, il arrive que le mot chinois soit à la fois une transcription dont les sons s'approchent de la langue d'origine, mais qui en même temps suggère le sens. Ceci s'explique par le fait que le vocabulaire est fait de mots composés de syllabes qui ont elles-mêmes un sens. Il est donc très difficile pour un chinois de mémoriser des mots vides de sens :
ouèï-tā-mìng, *vitamine* (pour/sa/vie). On emploie maintenant un mot traduit : **ouĕï-chēng-sòu** (préserver/vie/élément)
k'ĕ-k'ŏou-k'ĕ-lè, *Coca-Cola* (abrégé en **k'ˇe-lè**) peut s'interpréter comme *agréable à la bouche et qui rend gai*
(possible/bouche/possible/ joie)
mí-nĭ-tj'únn, *mini-jupe* est un mot composé d'une phonétique doublée d'un sens évocateur **mí-nĭ** (ensorceler/toi) et du mot chinois **tj'únn**, *jupe*, l'ensemble signifiant *la jupe qui t'affole*.

B17 corps, santé
chēnn-t'i, tjiènn-k'àng

tête	头	**t'óou**
œil	眼睛	**iĕnn-tjing**
bouche	嘴	**tsouèï**
oreille	耳朵	**ĕr-touo**
dents	牙齿	**iá-tch'.ˇ**
cou	脖子	**pó-ts.**
dos	背	**pèï**
bras	胳膊	**kē-po**
main	手	**chŏou**
poitrine	胸部	**hsiōng-pòu**
ventre	肚子	**tŏu-ts.**
estomac	胃	**ouèï**
rein	肾	**chènn**
jambe, pied	腿	**t'ouĕï**
pied	脚	**tjiăo**
ne pas se sentir bien	不舒服	**pòu chōu-fou**
avoir mal, faire mal	疼	**t'éng**
avoir la diarrhée	闹肚子	**nào tŏu-ts.**
avoir la nausée	恶心	**ĕ-hsīnn**
avoir de la fièvre	发烧	**fā-chāo**
avoir la tête qui tourne	头晕	**t'óou-iūnn**
tousser, toux	咳嗽	**k'é-soou**
grippe	感冒	**kănn-mào**
vomir	吐	**t'ŏu**
cracher	吐痰	**t'ŏu-t'ánn**
être blessé	受伤	**chòou-chāng**
guérir qqun	治好	**tch.ˋ-hăo**
médecin, docteur	医生	**ī-cheng**
être guéri	好了	**hăo le**
dentiste	牙医	**iá-ī**
traiter par acupuncture	扎针	**tchā-tchēnn**
règles, menstruation	月经	**iuè-tjīng**
hôpital	医院	**ī-iuànn**
pharmacie	药房	**iào-fáng**
ordonnance	药方	**iào-fāng**
infirmier(e)	护士	**hòu-ch.ˋ**
médicament	药	**iào**
injection, piqûre	针	**tchēnn**
faire une piqûre	打针	**tă tchēnn**
opération chirurgicale	手术	**chŏou-chòu**
comprimé, cachet	药片	**iào-p'ìenn**
pilule contraceptive	避孕丸	**pì-iùnn ouánn**
préservatif	避孕套	**pì-iùnn t'ào**
maladie vénérienne	性病	**hsìng pìng**
vacciner	种牛痘	**tchòng nióou-tòou**
vaccin	疫苗	**ì-miáo**

B17 Entraînez-vous !

A Tentez de dire en chinois :

1. J'ai mal aux dents
2. Je suis indisposée
3. Je ne me sens pas bien

SOLUTIONS

A

1. **ouŏ iá-tch'.ˇ t'éng**
2. **ouŏ iŏou iuè-tjīng**
3. **ouŏ póu chōu-fóu**

■ *La médecine* **ī-hsué** 医学

La Chine présente l'avantage d'avoir à la fois conservé ses méthodes curatives traditionnelles tout en adoptant la médecine occidentale.

• la médecine traditionnelle est basée sur l'équilibre du souffle vital **tj'ì** 气, et sur les notions de *yin*, (**īnn** 阴) et *yang*, (**iáng** 阳), correspondant au froid et au chaud.

• le diagnostic traditionnel se fait en tâtant le *pouls*, **mài-pó** 脉搏 au cou ou au poignet. Cette méthode fut inventé au Ve siècle avant notre ère.

• l'*acupuncture*, **tchēnn-tjiŏou** 针灸. Elle est très à la mode en Occident et peut même, dit-on, vous passer l'envie de fumer. Elle est moins répandue en Chine qu'on ne l'imagine. Certains hôpitaux la pratiquent. Les raisons de son efficacité restent encore un mystère, mais certains effets en sont spectaculaires, comme l'anesthésie sous acupuncture - plus propagande que réelle efficacité -.

• la *moxibustion*, consiste à faire échauffer la peau avec des plantes en combustion entourées de coton (remède contre l'arthrose).

• la *pharmacopée*, **tchōng-iào** 中药 comprenant la médecine par les plantes et les décoctions d'animal (poudre de scarabée, vésicule de serpent, par exemple). Elle est très efficace dans les cas de maladies bénignes (grippe, constipation ou diarrhée). Il est très intéressant de rendre visite à ce genre de boutique et d'y commander quelque potion magique.

• la *médecine occidentale*, **hsī-ī** 西医, pratiquée dans les dispensaires ou hôpitaux. Recommandée en cas de maladie sérieuse, à moins que vous préfériez vous faire rapatrier.

pinceau	毛笔	**máo-pǐ**
crayon	铅笔	**tj'iēnn-pǐ**
stylo à bille	圆珠笔	**iuánn-tchōu-pǐ**
stylo à plume	自来水笔	**ts.`-láï-chouěï-pǐ**
calligraphie	书法	**chōu-fǎ**
papier à lettre	信纸	**hsìnn-tch.ˇ**
écrire	写字	**hsiě ts.`**
écrire une lettre	写信	**hsiě hsìnn**
compter, calculer	算	**souànn**
compter	点数	**tiěnn-chòu**
calculatrice	计算机	**tjì-souànn-tjī**
ordinateur	电脑	**tiènn-nǎo**
étudier, apprendre	学习	**hsué-hsí**
difficile	难	**nánn**
professeur, enseignant	老师	**lǎo-ch.¯**
étudiant à l'étranger	留学生	**lióou-hsué-cheng**
élève	学生	**hsué-cheng**
Université de Pékin	北大	**Pěï-tà**
université	大学	**tà-hsué**
école	学校	**hsué-hsiào**
bourse d'études	奖学金	**tjiǎng-hsué-tjīnn**
examen, épreuve	考试	**k'ǎo-ch.`**
travailler, travail	工作	**kōng-tsouò**
interprète, traduire	翻译	**fānn-ì**
guide	导游	**tǎo-ióou**
perdre son emploi	失业	**ch.¯-iè**
chômeur	失业者	**ch.¯-iè-tchě**
salaire mensuel	月工资	**iuè kōng-ts.¯**
bureau	办公室	**pànn-kōng-ch.`**
aller au/sortir du travail	上班/下班	**chàng-pānn/hsià-pānn**
affaires, business	事务	**ch.`-òu**
la bourse	证券交易所	**tchèng-tj'uànn tjiāo-ì-souǒ**
usine, fabrique	工厂	**kōng-tch'ǎng**
directeur général	总经理	**tsǒng-tjīng-lǐ**
compagnie, entreprise	公司	**kōng-s.¯**
patron	老板	**láo-pǎnn**
accorte	可爱的	**k'ě-ài te**
secrétaire (féminine)	女秘书	**nǔ-mì-chōu**
employé	职员	**tch.´-iuánn**
cadre	干部	**kànn-pòu**
collègue	同事	**t'óng-ch.`**
bureaucratie	官僚主义	**kouānn-liáo-tchǒu-ì**
pot-de-vin	贿赂	**houèï-lòu**
relations, piston	关系	**kouānn-hsi**
avoir du piston	走后门	**tsǒou hòou ménn**

[marcher/porte de derrrière]

B18 Entraînez-vous !

A Tentez de dire en chinois :

1. Que faites-vous comme travail ?
2. Je suis la secrétaire du patron
3. Je n'ai pas trouvé de travail, je suis chômeur(euse)

SOLUTIONS

A

1. **nínn tsouò chém-me kōng-tsouò**
2. **ouŏ ch.` láo-pănn te nŭ-mì-chōu**
3. **ouŏ mĕï-iŏou tchăo kōng-tsouò, ch.¯-iè le**

■ *Les fêtes* (**tjié-j.`** 节日)
Les bureaux et administrations sont ouverts du lundi au samedi. Ceux ayant rapport avec les étrangers sont souvent ouverts le dimanche matin. Récemment, les employés ont obtenu leur week-end.
• Parmi les fêtes donnant lieu à des jours de congé (en tout neuf dans l'année) citons :
Fête internationale des femmes (8 mars), **sānn pā tjié** 三八节.
Fête internationale du travail (1er mai), **kouó-tjì láo-tòng-tjié** 国际劳动节.
Fête nationale (1er octobre), **kouó-tj'ìng-tjié** 国庆节 qui célèbre la fondation de la RCP.
• *Fête du Nouvel An* ou *Fête du Printemps*, **tch'ōunn-tjié** 春节 : elle est généralement fêtée fin janvier ou début février, début de l'année lunaire. C'est la plus grande fête de l'année, l'occasion de grandes réunions de famille. Elle donne généralement lieu à une semaine d'arrêt de travail. Attention à ne pas se faire éborgner par les pétards des fêtards. Les vœux qu'on y formule sont : *bonne année*, **hsīnn-niénn hăo** 新年好, *enrichissez-vous cette nouvelle année*, **hsīnn-niénn fā-ts'ái** 新年发财.
Les fêtes suivantes ne sont pas jours fériés :
• *Fête des lanternes* (mi-février), **iuánn-hsiāo tjié** 元宵节 : on se promène le soir avec des lanternes en papier magnifiquement décorées.
• *Fête des morts* (début avril), **tj'īng-míng-tjié** 清明节 : on *balaye les tombes*, c'est-à-dire qu'on s'y rend pour les entretenir et faire des offrandes aux défunts.
• *Fête des Bateaux-dragons* (*double cinq* : 5ème jour du 5ème mois lunaire, fin avril), **touānn-ŏu-tjié** 端午节 pendant laquelle se déroulent des compétitions de barques. On y mange des gâteaux triangulaires au riz glutineux.
• *Fête de la mi-automne* (fin septembre), **tchōng-tj'iōou-tjié** 中秋节 où l'on consomme des *gâteaux de lune*, **iuè-ping** 月饼, gâteaux ronds fourrés de sucrerie.
• *Fêtes locales* : beaucoup de villes ont recommencé à fêter leurs Dieux locaux. Se renseigner sur place.

compagnon, petit-ami	男朋友	**nánn-p'éng-iŏou**
compagne, petite-amie	女朋友	**nŭ-p'éng-iŏou**
se marier	结婚	**tjié-hōunn**
épouse, madame	太太	**t'àï-t'aï**
mari, époux	丈夫	**tchàng-fou**
femme, mari (Pékin)	爱人	**àï-jénn**
femme, épouse	妻子	**tj'ī-ts.**
concubine, 2ème femme	姨太太	**í-t'àï-t'aï**
être enceinte	怀孕	**houáï-iùnn**
mettre au monde	生	**chēng**
bébé	婴儿	**īng-ér**
nurse, nourrice	保姆	**páo-mŏu**
jeune	年轻	**niénn-tj'īng**
adulte	大人	**tà-jénn**
famille	家庭	**tjiā-t'ing**
enfant	孩子	**háï-ts.**
parent (en général)	亲戚	**tj'īnn-tj'i**
parents (père et mère)	父母	**fòu-mŏu**
père	父亲	**fòu-tj'inn**
mère	母亲	**mŏu-tj'inn**
belle-mère	岳母	**iuè-mou**
beau-père	岳父	**iuè-fou**
fille (de quelqu'un)	女儿	**nŭ-ér**
fils	儿子	**ér-ts.**
petit-fils	孙子	**sōunn-ts.**
petite-fille	孙女	**sōunn-nŭ**
cousin aîné	表哥	**piăo-kē**
cousine aînée	表姐	**piáo-tjiĕ**
frère aîné	哥哥	**kē-kē**
sœur aînée	姐姐	**tjiĕ-tjie**
grand-mère	祖母	**tsóu-mŏu**
grand-père	祖父	**tsŏu-fòu**
neveu	侄子	**tch.´-ts.**
nièce	侄女	**tch.´-nŭ**
oncle (aîné du père)	伯伯	**pó-po**
oncle (cadet du père)	叔叔	**chōu-chou**
oncle maternel	舅舅	**tjiòou-tjioou**
tante maternelle	姨母	**í-mŏu**
tante paternelle	姑姑	**kōu-kou**
divorcer	离婚	**lí-hōunn**
veuve	寡妇	**kouă-fou**
vieillard, un vieux	老头儿	**lăo-t'óour**
vieille fille	老处女	**láo-tch'óu-nŭ**
vieux , âgé	老	**lăo**
mourir	死	**s.ˇ**

B19 Entraînez-vous !

A Tentez de dire en chinois :

1. Quel âge as-tu ?
2. J'ai trois enfants, deux garçons et une fille
3. Quels sont les membres de votre famille

SOLUTIONS

A

1. **nĭ tjĭ souèï le ?**
2. **ouŏ iŏou sānn ke háï-ts., liăng ke nánn-háï-ts., í ke nŭ-háï-ts.**
3. **nínn tjiā-li tōou** (tous) **iŏou chém.me jénn ?**

■ *Les noms de parenté*
Ils sont bien plus précis en chinois qu'en français.

• on distingue les âges dans une même génération : *sœur* et *frère* ne se disent pas de la même façon suivant qu'ils sont plus ou moins jeunes que la personne concernée :
kē-ke, *frère aîné* 哥哥 **tì-ti**, *frère cadet* 弟弟
tjiĕ-tjie, *sœur aînée* 姐姐 **mèï-meï**, *sœur cadette* 妹妹
hsiōng-tì-tjiĕ-mèï, *frères et sœurs* (frère aîné/cadet/sœur aînée/cadette) 兄弟姐妹. (**hsiōng** est un autre mot pour *frère aîné*.)

• les mots pour *oncle* et *tante* précisent de quel côté est la filiation (paternel ou maternel).
tjiòou-tjioou, *oncle maternel (frère de la mère)* 舅舅, **kōu-kou**, *tante (sœur du père)* 姑姑, **í-mā**, *tante (sœur de la mère)* 姨妈.
Du côté paternel - évidemment le plus important - on distingue entre les oncles suivant leur âge par rapport au père :
pó-po, *oncle (frère aîné du père)* 伯伯
chōu-chou, *oncle (frère cadet du père)* 叔叔

• pour les cousins, on utilise les mots pour frêre et sœur, précédés de **t'áng**, 堂 pour le *cousin(e)s du côté du père* et **piăo**, 表 pour les *cousin(e)s du côté de la mère*.
t'áng-hsiōng, *cousin germain (du côté du père) plus âgé que moi*
piăo-mèï, *cousine germaine (du côté de la mère) plus jeune que moi*

• pour les grand parents on distingue le côté paternel du côté maternel, "pièce rajoutée", dénommé **ouàï**, *extérieur* 外 :
tsóu-mŏu *grand mère paternelle* /ancêtre/mère
ouàï tsóu-mŏu *grand mère maternelle* /extérieur/ancêtre/mère

• **Exercice pratique :** comment dit-on *cousine*, étant entendu que cette cousine est la *fille plus âgée que moi de la seconde femme du frère cadet de ma mère* ? Réponse page 62.

médias	媒介	**mēï-tjiè**
télécommunications	电讯	**tiènn-hsùnn**
radiodiffuser	播放	**pō-fàng**
station de radiodiffusion	广播电台	**kouăng-pō-tiènn-t'áï**
écouter une émission	收听	**chōou-t'īng**
radio (récepteur)	收音机	**chōou-īnn-tjī**
chaîne (radio, télé)	台	**t'áï**
télévision	电视	**tiènn-ch.`**
allumer (appareil)	打开	**tă-k'āï**
éteindre	关上	**kouānn-chang**
regarder la télé	看电视	**k'ànn tiènn-ch.`**
vidéo	录像	**lòu-hsiàng**
présentateur	播音员	**pō-īnn-iuánn**
spectateur , public	观众	**kouānn-tchòng**
auditeur, auditoire	听众	**t'īng-tchòng**
interviewer	采访	**ts'ăï-făng**
actualités	时事	**ch.´-ch.`**
agence de presse	通讯社	**t'ōng-hsùnn-chè**
reporter	通讯员	**t'ōng-hsùnn-iuánn**
grandes agences	大社	**tà-chè**
agence Chine nouvelle	新华社	**hsīnn-houá-chè**
agence France-Presse	法新社	**Fă-hsīnn-chè**
nouvelle	消息	**hsiāo-hsi**
informer, faire savoir	通知	**t'ōng-tch.¯**
faire un rapport	报告	**pào-kào**
information	新闻	**hsīnn-ouénn**
les informations	报告新闻	**pào-kào hsīnn-ouénn**
journaliste	记者	**tjì-tchĕ**
conférence de presse	记者招待会	**tjì-tchĕ tchāo-tàï-houèï**
presse, périodiques	报刊	**pào-k'ānn**
liberté de la presse	出版自由	**tch'ōu-pănn ts.`-ióou**
journal	报纸	**pào-tch.ˇ**
journal du soir	晚报	**ouănn-pào**
quotidien (journal)	星岛日报	**j.`-pào**
hebdomadaire	周刊	**tchōou-k'ānn**
revue mensuelle	月刊	**iuè-k'ānn**
magazine, revue	画报	**houă-pào**
revue, périodique	杂志	**tsá-tch.`**
éditorial	社论	**chè-lòunn**
discuter, débattre	辩论	**piènn-lòunn**
feuilleton	片段故事	**p'iènn-touànn kòu-ch.`**
publicité	广告	**kouăng-kào**
fait divers	新闻栏	**hsīnn-ouénn-lánn**
article	文章	**ouénn-tchāng**
programme, émission	节目	**tjíe-mòu**
intéressante	有意思	**iŏou-ì-s.**

B20 Entraînez-vous !

A Tentez de dire en chinois :

1. Quelles sont les nouvelles ?
2. Y a-t-il une émission intéressante ce soir ?
3. Quels sont les quotidiens chinois ?

B Essayez de comprendre :

1. **ouǒ tjīnn-t'iēnn ouǎnn-chang pòu hsiǎng k'ànn tiènn-ch.`**
2. **Tchōng-kouó iǒou mĕï iǒou tch'ōu-pǎnn ts.` -ióou ?**
3. **ouǒ pòu t'óng-ì tchè pěnn tsá-tch.` te chè-lòunn**

SOLUTIONS

A

1. **iǒou chèm-me hsīnn hsiāo-hsi ?**
2. **tjīnn-t'iēnn ouǎnn-chang iǒou mĕï iǒou iǒou-ì-s.¯ te tjié-mòu ?**
3. **Tchōng-kouó iǒou chém-me j.` -pào ?**

B

1. Je n'ai pas envie de regarder la télé ce soir
2. Y a-t-il la liberté de la presse en Chine ?
3. Je ne suis pas d'accord avec l'éditorial de cette revue

■ *Les inventions chinoises*

Les Chinois se définissent eux-mêmes comme *intelligents* (**ts'ōng-míng** 聪明), *laborieux* (**tj'ínn-fènn** 勤奋) et en même temps *modestes* (**tj'iēnn-hsū** 谦虚) (*A new perspective*, Presses de l'Université de Pékin, tome 2). Il est vrai que la Chine a développé des techniques souvent en avance sur l'occident. Parmi celles-ci :

• la *soie*, **s.¯-tch'óou** 丝绸 : l'élevage du ver à soie est connu depuis l'antiquité (IIᵉ millénaire avant J.-C.). A l'époque romaine, les soieries parvenaient en Occident par la *Route de la Soie* **s.¯ lòu** 丝路.

• la *porcelaine*, **ts'.´** 瓷 (dynastie Tang) à base de kaolin, et chauffée à plus de 1000 degrés. Sous les Ming apparaît la porcelaine bleue-blanche.

• la *laque*, **tj'ī** 漆 : la résine de l'arbre à laque était utilisée pour sa dureté et son imperméabilité depuis l'âge du bronze.

• le *papier*, **tch.ˇ** 纸 (dynastie Han) obtenu dans la fabrication de la soie : après avoir retiré les cocons trempés dans l'eau bouillante et posés sur des nattes, il restait sur celles-ci une mince couche de produit qui était du papier.

• l'*imprimerie*, **ìnn-chouā** 印刷 : les caractère mobiles (XIᵉ siècle) étaient collés sur de la résine et fabriqués en terre cuite.

• la *poudre*, **houǒ-iào** 火药 (IXᵉ siècle) utilisée pour envoyer des flèches propulsées par des fusées (ancêtre des feux d'artifice).

• la *boussole*, **tch.ˇ-nánn-tchēnn** 指南针 (*aiguille qui indique le sud)*, (époque des Song) obtenue en aimantant une aiguille en fer orientée nord-sud en la chauffant au rouge.

Lexique français-chinois

à mon avis, **ouŏ k'ànn**, 我看
à, jusqu'à, **tào**, 到
absent de chez soi, **póu tsàï tjiā**, 不在家
acheter, **măï**, 买
acheter à crédit, **chē**, 赊
acheter d'occasion, **măi tjiòou-te**, 买旧的
actualités, **ch.´-ch.`**, 时事
accueillir, bienvenue, **houānn-íng**, 欢迎
addition, **tjié-tchàng**, **souànn-tchàng**, 结帐, 算帐
adresse, **tì-tch.ˇ**, 地址
adresse électronique, e-mail, **tiènn-ts. ióou-hsiāng**, 电子邮箱
aéroport, **fēï-tjī tch'ăng**, 飞机场
affaire, événement, **ch.`(-tj'ing)**, 事情
affaires, business, **ch.`-òu**, 事务
Afrique, **Fēï-tchōou**, 非洲
Afrique du Sud, **Nánn-fēï**, 南非
agence Chine nouvelle, **hsīnn-houá-chè**, 新华社
agence de presse, **t'ōng-hsùnn-chè**, 通讯社
agence de voyages, **lŭ-hsíng-chè**, 旅行社
agence France-Presse, **fă-hsīnn-chè**, 法新社
aider, **pāng-tchou**, 帮助
aimer, **hsĭ-houānn**, 喜欢
ainsi, de cette façon-ci, **tchèï-iàng**, 这样
ainsi, de cette façon-là, **nèï-iàng**, 那样
ajouter, **t'iēnn**, 添
alcool, **tjiŏou**, 酒
alcool maotai, **máo-t'áï tjiŏu**, 茅台酒
Allemagne, **Té-kouo**, 德国
aller, **tj'ù**, 去
aller (style d'un vêtement), **hé. ch.**, 合适
aller (taille d'un vêtement), **hé-chēnn**, 合身
aller au cinéma, **k'ànn tiĕnn-ìng**, 看电影
aller au spectacle, **tj'ù k'ànn-hsì**, 去看戏
aller au travail, **chàng-pānn**, 上班
aller aux toilettes, **tjiĕ-choŏu**, 解手
aller chercher (qqun), prendre qqun, **tchăo**, 找
allez tout droit, **ì-tch.´ tsŏou**, 一直走
Allo !, **ouèï !**, 喂
allumer (appareil), **tă-k'āï**, 打开
allumer (lampe), **tiĕnn**, 点
allumer un feu, **tiénn-houŏ**, 点火
alors, autant, **nà-me**, 那麼
ambulance, **tjiòou-hòu-tch'ē**, 救护车
amende (avoir une), **fá-k'ouànn**, 罚款
Amérique (continent), **mĕï-tchōou**, 美洲
Amérique (USA), **Mĕï-kouó**, 美国
ami, **p'éng-iŏou**, 朋友
ampoule électrique, **tēng-p'ao**, 灯泡
Angleterre, **Ing-kouó**, 英国
animal sauvage, **iĕ-chòou**, 野兽
anneau, bague, **tjiè-tch.**, 戒指
année, **niénn**, 年
année d'âge, **souèï**, 岁
année dernière, **tj'ù-niènn**, 去年
année scolaire, **hsué-niénn**, 学年
annuaire téléphonique, **tiènn-houà-pòu**, 电话簿
annuler un appel, **tj'ŭ-hsiāo tiènn-houà**, 取消电话
antiquité (objet), **kóu-tŏng**, 古董
appartement, **t'ào fáng**, 套房
appel international, **kouó-tjì tiènn-houà**, 国际电话
appel interurbain, **tch'áng-t'óu tiènn-houà**, 长途电话
appel, coup de fil, **í ke tiènn-houà**, 一个电话
appeler en PCV, **touèï-fāng fòu-k'ouànn**, 对方付款
appeler (s'), réveiller, **tjiào**, 叫
après après-demain, dans trois jours, **tà-hòou-t'iēnn**, 大后天
après-demain, **hòou-t'iēnn**, 后天
après-midi, **hsià-ŏu**, 下午
arbre, **chòu**, 树
arc-en-ciel, **hóng**, 虹
argent, **ínn-ts.**, 银子
argent (monnaie), **tj'iénn**, 钱
Argentine, **A-kēnn-t'íng**, 阿根廷
armoire, coffre, caisse, **kouèï-ts.**, 柜子
arrêt de trolleybus, **tiènn-tch'ē-tchànn**, 电车站
arriver, **tào**, 到
arriver en retard, **láï-ouănn**, 来晚
article, **ouénn-tchāng**, 文章
asseoir (s'), **tsouò**, 坐
ASA (100), **toù (î-păï)**, 度(一百)
ascenseur, **tiènn-t'i**, 电梯
Asie, **Ià-tchōou**, 亚洲
assiette, **p'ánn-ts.**, 盘子

attacher les ceintures, **hsì ānn-tj'uánn-taï**, 系安全带
attendre, **tĕng**, 等
attention, **hsiăo-hsīnn**, 小心
atterrir, **tjiàng-louó**, 降落
attraper (un bus, un train...), **kănn-chang**, 赶上
au revoir, **tsàï-tjiènn**, 再见 !
auberge, hôtel, **lú-kouănn**, 旅馆
aubergine, **tj'ié-ts.**, 茄子
auditeur, auditoire, **t'īng-tchòng**, 听众
aujourd'hui, **tjīnn-t'iēnn**, 今天
aussi, également, **iĕ**, 也
Australie, **ào-tà-lì-yà**, 澳大利亚
autant, **tchèm-me**, 这麼
authentique, **tchēnn-tchèng**, 真正
autobus, **kōng-kòng-)tj'ì-tch'ē**, 公共汽车
autocar, **k'è-tch'ē**, 客车
automne, **tj'iōou-t'iēnn**, 秋天
automobile, voiture, **tj'ì-tch'ē**, 汽车
autre chose, **pié-te**, 别的
autrefois, **ts'óng-tj'iénn**, 从前
avant avant-hier, il y a trois jours, **tà tj'iénn-t'iēnn**, 大前天
avant, autrefois, **i-tj'iènn**, 以前
avant-hier, **tj'iénn-t'iēnn**, 前天
avec, **kēnn**, 跟
aventurier, **mào-hsiĕnn-tjiā**, 冒险家
averse, pluie battante, **pào-iŭ**, 暴雨
avion, **fēï-tjī**, 飞机
avoir, y avoir, **iŏou.**, 有
avoir chaud, **fā-jè**, 发热
avoir le mal de mer (avoir le), **iùnn-tch'ouánn**, 晕船
bagage à main, valise, **chŏou-t'í-hsiāng**, 手提箱
bagages, **hsíng-lĭ**, 行李
baguettes (pour manger), **k'ouàï-ts**, 快子
baignoire, **tsăo-p'énn**, 澡盆
bain de soleil, **j.`-kouāng-iù**, 日光浴
ballon, **p'í-tj'ióou**, 皮球
banane, **hsīang-tjiāo**, 香蕉
banlieue, **tjiāo-tj'ū**, 郊区
banque, **ínn-háng**, 银行
banque de Chine, **Tchōng-kouó ínn-háng**, 银行
bar, **tjiŏou-pa**, 酒巴
basket-ball, **lánn-tj'ióou**, 篮球
bateau à vapeur, **tj'ì-tch'ouánn**, 汽船
bateau à voiles, voilier, **fānn-tch'ouánn**, 帆船
bateau de sauvetage, **tjiòou-chēng-tch'ouánn**, 救生船
bateau, navire, **tch'ouánn**, 船
bazar, grand magasin, **păï-houò-kōng-s.**, 百货公司
beau, **haŏ-k'ànn**, 好看
beau-père, **iuè-fòu**, 岳父
beaucoup, **touō**, 多
beaucoup plus (après un verbe), **te touō**, 得多
beaucoup, bon nombre, **hăo-tjĭ**, 好几
bébé, **īng-ér**, 婴儿
Belgique, **Pĭ-lì-ch.´**, 比利时
belle-mère, **iuè-mŏu**, 岳母
bicyclette, **ts.`-hsíng-tch'ē**, 自行车
bien, bon, **hăo**, 好
bière, **p'í-tjiŏou**, 啤酒
bière de Ts'ing-tao, **Tj'īng-tăo p'í-tjiŏou**, 青岛啤酒
bijoux, **chŏou-ch.**, 首饰
billet, ticket, **p'iào**, 票
billet aller et retour, **láï-houéï-p'iào**, 来回票
billet de banque, **tch'āo-p'iào**, 钞票
billet de bateau, **tch'ouánn-p'iào**, 船票
billet de chemin de fer, **houŏ-tch'ē-p'iào**, 火车票
billet de groupe, **t'ouánn-t'ĭ-p'iào**, 团体票
Birmanie, **Miĕnn-tiènn**, 缅甸
blanc, **páï**, 白
blé, **hsiăo maï**, 小麦
blessé (être), **chòou-chāng**, 受伤
bleu, **lánn**, 蓝
bœuf (viande de), **nióou-jòou**, 牛肉
boire, **hē**, 喝
boisson, **ĭnn-liào**, 饮料
boisson fraîche, **lĕng-ĭnn**, 冷饮
boîte aux lettres, **hsìnn-hsiāng**, 信箱
boîte de conserve, **kouànn**, 罐
bol, **ouănn**, 碗
bon (à manger), **hăo-tch'.¯**, 好吃
bon marché, **piénn-i**, 便宜
bon voyage, **í-lòu p'íng-ānn**, 一路平安
bon, bien, **hăo**, 好
bonhomme de neige, **hsuĕ-rénn**, 雪人
bonjour (à plusieurs personnes), **nĭ-menn hăo !**, 你们好 !
bonjour (à une personne), **ní hăo!**, 你好
bonjour (à une personne, politesse), **nínn hăo ma ?**, 您好吗?
Bonne année !, **hsīnn-niénn hăo**, 新年好
bonne santé, **tjiènn-k'āng**, 健康
bonsoir, **ouănn-ānn**, 晚安 !

bord de mer, **hăï-piēnn**, 海边
bouche, **tsouèï**, 嘴
bouché, **tŏu le**, 堵了
Bouddha, **fó**, 佛
bouddhisme, **fó-tjiào**, 佛教
bouée de sauvetage, **tjiòou-chēng-tj'uānn**, 救生圈
boule de neige, **hsuĕ-tj'ióou**, 雪球
boulevard périphérique, **houánn-tch'éng-lòu**, 环城路
boulevard, avenue, **tà-tjiē**, 大街
bourse (des valeurs), **tchèng-tj'uànn tjiāo-ì-souŏ**, 证券交易所
bourse d'études, **tjiăng-hsué-tjīnn**, 奖学金
bouteille, **p'íng-ts.**, 瓶子
bouteille thermos, **jè-chouĕï-p'íng**, 热水瓶
bouton, **k'òou-ts.**, 扣子
bras, **kē-po**, 胳膊
Brésil, **Pā-hsī**, 巴西
brouillard, brume, **òu**, 雾
brun, marron, **hè-sè**, 褐色
bruyant, **tch'ăo**, 吵
bureau, **pànn-kōng-ch.`**, 办公室
bureau de poste, **ióou-tjú**, 邮局
bureaucratie, **kouānn-liáo-tchŏu-i**, 官僚主义
but, goal, **tj'ióou-ménn**, 球门
c'est assez, ça suffit, **kòou le**,够了
c'est pourquoi, **souó-ĭ**, 所以
c'est trop cher !, **t'àï kouèï le !**, 太贵了
ça marche, **hsíng**, 行
ça suffit ! raz-le-bol !, **souànn le pa**, 算了吧
cabine publique, **tiènn-houà-t'īng**, 电话亭
cabine, soute, **tch'ouánn-ts'āng**, 船舱
cabinet, bureau, **chōu-fáng**, 书房
câble (télévision), **iŏou-hsiènn**, 有线
cadre (personne), **kànn-pòu**, 干部
cafard, **tchāng-láng**, 蟑螂
café, **k'ā-fēï**, 咖啡
café (lieu), **k'ā-fēï-kouănn**, 咖啡馆
café au lait, **k'ā-fēï-nióou-năï**, 咖啡牛奶
caisse, guichet, **p'iào-fáng**, 票房
caisse, valise, **hsiāng-ts.**, 箱子
calculatrice, **tjì-souànn-tjī**, 计算机
calculer, compter, **souànn**, 算
caleçon de bain, **ióou-iŏng-k'òu**, 游泳裤
calligraphie, **chōu-fă**, 书法
calme, tranquille, **ānn-tjing**, 安静
camarade (sert d'appellation commune), **t'óng-tch.`**, 同志
Cambodge, **Tjiĕnn-p'ŏu-tchài**, 柬埔寨
campagne, **hsiāng-hsià**, 乡下
camper, bivouaquer, **lòu-íng**, 露营
Canada, **Tjiā-ná-tá**, 加拿达
canaille, salaud, **hóunn-tànn**, 混蛋
canard, **iā**, 鸭
canard laqué, **k'ăo-iā**, 考鸭
Canton, **Gouăng-tchōou**, 广州
caractère d'écriture, **ts.`**, 字
caractère chinois, **hànn-ts.`**, 汉字
caractères compliqués, **fánn-t'ĭ-ts.`**, 繁体字
caractères simplifiés, **tjiénn-houà-ts.`**, 简化字
carrefour, **ch.´-ts.`-lòu-k'ŏou**, 十字路
carte (restaurant), **ts'àitānn, ts'àitār,** 菜单(儿)
carte d'étudiant, **hsué-chēng tchèng**, 学生证
carte d'identité, **tch'ōu-chēng tchèng**, 出生证
carte de crédit, **hsìnn-iòng-k'ă**, 信用卡
carte de travail, **kōng-tsouò tchèng**, 工作证
carte de visite, **míng-p'iènn**, 名片
carte postale, **míng-hsìnn-p'iènn**, 明信片
carte Visa, **ouèï-ch.`-k'ă**, 维士卡
carton, **tch.´-pănn**, 纸板
cassé, **houàï le**, 坏了
casserole, wok, **kouō**, 锅
cassette vidéo, **lòu-hsiàng-tàï**, 录像带
ce n'est pas loin, **pòu iuănn**, 不远
ce, ceci, **tchèï**, 这
céder sa place, **jàng tsouòr**, 让座儿
ceinture de pantalon, **k'òu-tàï**, 裤带
cela ne fait rien, **mĕï-kouānn-hsi**, 没关系
celui-ci, ce...ci, ceci, ça, **tchèï**, **tchè**, 这
celui-là, ce...là, **nèï**, **nà**, 那
cendre, **houēï**, 灰
cent millions, **ì,** 亿
centre ville, **ch.` tchōng-hsīnn**, 市中心
certificat de résidence, **hòu-k'ŏou**, 户口
cette année, **tjīnn-niénn**, 今年
chaîne (radio, télé), **t'áï**, 台
chaîne hi-fi, **lì-t'ĭ īnn-hsiăng**, 立体音响
chaise longue, **t'áng-ĭ**, 躺椅
chaise, fauteuil, **ĭ-ts.**, 椅子
chambre, **fáng-tjiēnn**, 房间
chambre à un lit, **tānn-jénn-fáng**, 单人房

chambre double, **chouāng-jénn fáng-tjiēnn**, 双人房间
chambre libre, **k'ōng-fáng**, 空房
champ, terre cultivée, **t'iénn**, 田
champion, **kouànn-tjūnn**, 冠军
changer, **houànn,** 换
changer (de véhicule), **houànn-tch'ē**, 换车
changer (se), **houànn ī-fou**, 换衣服
changer de l'argent, **houànn tj'iénn**, 换钱
changer une lampe, , **houànn tēng-p'ào**, 换灯泡
chanter, **tch'àng-kē**, 唱歌
chapeau, casquette, **mào-ts.**, 帽子
chaque, **mĕï**, 每
chasse d'eau, **tch'ōng-chouĕï**, 冲水
chasser, **tă-liè**, 打猎
chat, **māo**, 猫
chaud, faire chaud, **jè**, 热
chauffeur, **s.¯-tjī**, 司机
chaussure en cuir, **p'í hsié**, 皮鞋
chef de bureau, **tjú-tchăng**, 局长
chemins, voies, routes, **tào-lòu**, 道路
chèque, **tch.¯-p'iào**, 支票
chèque de voyage, **lŭ-hsíng tch.¯-p'iào**, 旅行支票
chèque sans provision, **k'ōng-t'óou tch.¯-p'iào**, 空头支票
cher, **kouèï**, 贵
chercher, **tchăo**, 找
cheval, **mă**, 马
chez soi, **tjiā-li**, 家里
chien, **kŏou**, 狗
Chine, **Tchōng-kouó**, 中国
chinois (langue), **tchōng-ouénn**, 中文
Chinois d'Outremer, **houá-tj'iáo**, 华侨
Chinois(e), **Tchōng-kouó jénn,** 中国人
choisir, commander, **tiĕnn ts'àï**, 点菜
chômeur, **ch.¯-iè-tchĕ**, 失业者
choses, **tōng-hsi,** 东西
christianisme, **tjī-tōu tjiào**, 基督教
ciel, **t'iènn-k'ōng**, 天空
Ciel !, mon Dieu, **ouŏ te t'iēnn**, 我的天
ciel clair, sans nuages, **tj'īng**, 晴
cinéma, film, **tiènn-ĭng**, 电影
cinq, **ŏu**, 五
cirque, **tsá-tjì**, 杂技
ciseaux, **tjiĕnn-tāo**, 剪刀
Cité Interdite, **kŏu-kōng**, 故宫
citron, **níng-méng**, 柠檬
clair, **tj'īng-tch'ou**, 清楚
clair de lune, **iuè-kouāng**, 月光
class. des humains, **ke,** 个
class. des livres, **pĕnn**, 本
class. des véhicules, **liàng**, 辆
class. politesse, **ouèï**, 位
class. des événements, des vêtements, **tjiènn**, 件
classe (transport), **tĕng**, 等
clé, **iào-ch.**, 钥匙
climat, **tj'ìhou,** 气候
climatisation, **lĕng-tj'ì**, 冷气
coca, **k'ĕ-k'ŏu-k'ĕ-lè**, 可口可乐
coca-cola, **k'ĕ-k'ŏou-k'ĕ-le**, 可口可乐
cocktail, **tjī-ouēï-tjiŏou**, 鸡尾酒
cocu, pauvre type, **ouáng-pā tànn,** 王八蛋
code postal, **ióou-tchèng-piēnn-mă**, 邮政编码
coffret à bijoux, **chŏou-ch. hé**, 首饰盒
col, **lĭng-ts.**, 领子
colère (être en), **chēng-tj'ì**, 生气
colis, **ióou-pāo**, 邮包
colle, **tjiāo-chouĕï**, 胶水
collègue, **t'óng-ch.`**, 同事
collier, **hsiàng-liènn**, 项链
combien, quelques, **tjĭ,** 几
combien, **touó,** 多
combien, **touō-chăo,** 多少
combien ça coûte ?, **touō-chăo tj'iénn ?**, 多少钱？
combien de temps, **touó tch'áng ch.´-tjiēnn**, 多长时间
commander, commande (marchandise), **tìng-houò**, 定货
commander, réserver (lieu), **tìng**, 定
commencer, **k'āï-ch.ˇ**, 开始
commencer (spectacle), **k'āï-iĕnn**, 开演
comment, **tsĕm-me**, 怎麽
comment (être), **tsĕm-me-iàng**, 怎麽样
comment va-t-on ?, **tsĕm-me tsŏou ?**, 怎么走？
commerçant, **chāng-jénn**, 商人
commode, pratique, **fāng-piènn**, 方便
communication, **tjiē tiènn-houà**, 接电话
communiquer, avertir, **t'ōng-tch.¯**, 通知
compagne, petite-amie, **nŭ-p'éng-iŏou**, 女朋友
compagnie, entreprise, **kōng-s.¯**, 公司
compagnon, petit-ami, **nánn-p'éng-iŏou**, 男朋友
composer (sur un cadran), **pō**, 拨
composer le zéro, **pō líng**, 拨零
comprendre, **míng-páï**, 明白, **tŏng**, 懂
comprimé, cachet, **iào-p'iènn**, 药片
compte en banque, **hòu-t'óou**, 户头
compter (les chiffres), **tiĕnn-chòu**, 点数

compter, avoir l'intention, **tă-souànn,** 打算
compteur, **tjì-tch'éng-piăo**, 计程表
condiments, sauce, **tsouò-liào**, 作料
conducteur, **k'āï-tch'ē-te**, 开车的
conduire (voiture), **k'āï tch'ē**, 开车
conduire, partir (véhicule), **k'āï**, 开
conférence de presse, **tjì-tchě tchāo-tàï-houèï**, 记者招待会
confortable, à l'aise, **chōu-fou**, 舒服
confucianisme, **k'ŏng-hsué**, 孔学
congé (être en), **fàng-tjià,** 放假
connaître, **jènn-ch.**, 认识
conseiller, proposer, **tjiènn-ì**, 建议
content (être), **kāo-hsìng**, 高兴
contradiction, **máo-tòunn**, 矛盾
contrat, **hé-t'óng**, 合同
contrebande, 走私, **tsŏou-s.̄**
contrôler les billets, **tch'á-p'iào**, 查票
Corée, **Tch'áo-hsiēnn**, 朝鲜
corps humain, **chēnn-t'ĭ**, 身体
corruption, corrompu, **fŏu-pài**, 腐败
côté (à), **p'áng-piēnn**, 旁边
cote, cours, **p'áï-tjià**, 牌价
coton, **miénn-houā**, 棉花
cou, **pó-ts.**, 脖子
couchettes dures, **ìng-ouò**, 硬卧
couchettes molles, **jouănn-ouò**, 软卧
couler, **tch'énn-mò**, 沉没
couleur, **iénn-sè**, 颜色
coup de tonnerre, **p'ī-léï**, 霹雷
courrier, **hsìnn-tjiènn**, 信件
courrier électronique, e-mail, **tiènn-ts. tōng-hsùnn**, 电子通讯
courses (faire), **măï tōng-hsi**, 买东西
court de tennis, **ouăng-tj'ióou-tch'ăng**, 网球场
cousin aîné, **piăo-kē**, 表哥
cousin cadet, **piăo-tì**, 表弟
cousine aînée, **piáo-tjiĕ**, 表姐
couteau, **tāo**, 刀
couvert, **tāo-tch'ā**, 刀叉
couvert, nuageux, **īnn**, 阴
couverture, **pèï-ts.**, 被子
crabe, **p'áng-hsie**, 螃蟹
cracher, **t'ŏu-t'ánn**, 吐痰
cracher du sang, **t'ŏu-hsiĕ**, 吐血
crapule, ordure, **houàï-tànn**, 坏蛋
cravate, **lĭng-tàï**, 领带
crayon, **tj'iēnn-pĭ**, 铅笔
crème anti-moustique, **fáng-ouénn-chouāng**, 防蚊霜
crème de beauté, **hsuĕ-houā-kāo**, 雪花膏
crème inflammatoire, **niŏou-chāng-kāo**, 扭伤膏
crème solaire, **fáng-chàï-kāo**, 防晒膏
crevette, **hsiā**, 虾
croissant de lune, **iuè-iá**, 月牙
crue, **hòng-chouĕï**, 洪水
cuiller, **cháo-ts.,** 勺子
cuiller à soupe, **t'āng-tch'.́**, 汤匙
cuir, **p'í-ts.**, 皮子
cuisine, **tch'óu-fáng**, 厨房
cuisine chinoise, **Tchōng-kouó ts'àï**, 中国菜
cuisine locale, **fēng-ouèï**, 风味
cuivre, bronze, **t'óng**, 铜
cul sec !, **kānn-pēï,** 干杯
cyclone, tornade, **hsuànn-fēng**, 旋风
d'accord (être), **t'óng-ì**, 同意
dancing, **t'iào-ŏu-t'īng**, 跳舞厅
danger, dangereux, **ouēï-hsiĕnn**, 危险
dans, dedans, **li (piēnn)**, 里晚
danser, **t'iào-ŏu,** 跳舞
de plus en plus, **iuè-láï-iuè**, 越来越
de quel pays, **nĕï-kouó**, **nă-koú**, 哪国
de, depuis, **ts'óng**, 从
décalage horaire, 时差, **ch.́-tch'à**
décembre, **ch.́-èr-iuè**, 十二月
déclarer en douane, **pào-chouèï**, 报税
décoller (avion), **tj'ĭ-fēï**, 起飞
décrocher, répondre, **tjiē**, 接
dedans, dans, **lĭ-pienn**, 里边
dégeler, fondre, **tjiĕ-tòng**, 解冻
dehors, **ouàï-pienn**, 外边
déjà, **ĭ-tjīng**, 已经
déjeuner, **ŏu-fànn**, 午饭
demain, **míng-t'iēnn**, 明天
démarrer, **k'āï-tch'ē**, 开车
demi, moitié, **pànn**, 半
Deng Xiaoping, **Tèng Hsiăo-p'íng**, 登小平
dentiste, **iá-ī**, 牙医
dents, **iá-tch'.̆**, 牙齿
déranger, ennuyeux, ennuis, **má-fánn,** 麻烦
derrière, **hòou-pienn**, 后边
déshabiller (se), **t'ouō ī-fou**, 脱衣服
descendre, **hsià (tj'u)**, 下去
dessert, **tiènn-hsīnn**, 点心
dessous, sous, **hsià-pienn**, 下边
dessus, sur, **chàng-piènn**, 上边
destinataire, **chōou-tjiènn-jénn**, 收件人
destination, **mòu-ti tì**, 目的地
deux, **èr**, 二
deux (+ class.), **liăng,** 两
devant, **tj'iénn-miènn,** 前面

développer, **tch'ōng**, 冲
devise étrangère, **ouàï-houèï**, 外汇
devoir (en général), **tĕï**, 得
devoir (moral), **īng-kāï**, 应该
devoir (obligation), **pì-hsu**, 必须
devoir qqchose à qqun, **tj'iènn**, 欠
diapositive, **houànn-tēng-p'iènn**, 幻灯片
diarrhée (avoir la), **nào tŏu-ts.**, 闹肚子
difficile, **nánn**, 难
dimanche, **hsīng-tj'ī t'iēnn**, 星期天
dimanche (formel), **hsīng-tj'ī j.`**, 星期日
dîner, **ouănn-fànn**, 晚饭
dire (à quelqu'un), **kào-sou**, 告诉
dire, parler, **chouō (houà)**, 说话
directeur, **tjīng-li**, 经理
directeur général, **tsŏng-tjīng-lĭ**, 总经理
disco, **tí-s.¯-k'è ŏu-t'īng**, 迪斯克舞厅
discuter, débattre, **piènn-loùnn**, 辩论
divorcer, **lí-hōunn**, 离婚
dix, **ch.´**, 十
dix-mille, **ouànn**, 万
dix-neuf, **ch.´-tjiŏou**, 十九
dollar, **mĕï-iuánn**, 美元
donner, à, pour, **kĕï**, 给
dos, **pèï**, 背
douane, **hăï-kouānn**, 海关
douanier, **hăï-kouānn jénn-iuánn**, 海关人员
double (chambre), **chouāng-jénn**, 双人
douze, **ch.´-èr**, 十二
drap de lit, **tch'ouáng-tānn**, 床单
drogue, **tóu-p'ĭnn**, 毒品
droite (à), **iòou-pienn**, 右边
duvet, **jóng-máo**, 绒毛
eau, **chouĕï**, 水
eau bouillie (pour boire), eau plate, **k'āï-chouĕï**, 开水
eau chaude, **jè-chouĕï**, 热水
éclair, **chănn-tiènn**, 闪电
éclairs (faire), **tá-chănn**, 打闪
éclipse de lune, **iuè-ch.´**, 月食
école, **hsué-hsiào**, 学校
écouter, **t'īng**, 听
écouter une émission, **chōou-t'īng**, 收听
écrire, **hsiĕ (ts.`)**, 写字
écrire une lettre, **hsiĕ hsìnn**, 写信
éditorial, **chè-lòunn**, 社论
égarer (s'), se perdre, **mí-lòu**, 迷路
église, **tjiào-t'áng**, 教堂
Egypte, **Ai-tjí**, 埃及
élégant, beau, **chouàï**, 帅
élève, **hsué-cheng**, 学生
elle, la, lui, **t'ā**, 她
elles, leur, **t'ā-mènn**, 她们
embouteillage, **tŏu-tch'ē**, 堵车
Empereur du Ciel, **t'iēnn-tì**, 天帝
employé (d'une entreprise), **tch.´-iuánn**, 职员
employé (d'un service), **fóu-òu-iuánn**, 服务员
emprunter, prêter, **tjiè**, 借
en face, **touèï-miènn**, 对面
en or, **tjīnn-ts. te**, 金子的
en quel mois?, **tjĭ iuè ?**, 几月
en quelle année ?, **nĕï niénn**, 哪年
en train de, **tsàï**, 在
encens, odorant, **hsiāng**, 香
encore, de nouveau, re-, **tsàï**, 再
encore, en plus, **háï**, 还
endroit, lieu, **tì-fāng**, 地方
énergie vitale, **tj'ì**, 气
enfant, **háï-ts.**, 孩子
enfiler, **tch'ouānn**, 穿
enflammé (blessure), **fā-iénn**, 发炎
enrichir (s'), **fā-ts'áï**, 发财
enseignant(e), **ăo-ch.¯**, 老师
entorse, **niŏou-chāng**, 扭伤
entrer, **tjìnn (tj'u)**, 进去
enveloppe, **hsìnn-fēng**, 信封
envoyer, **tjì**, 寄
envoyer, expédier, **fā (tch'ōu-tj'u)**, 发出去
épais, **hòou**, 厚
épouse, femme, madame, **t'àï-t'àï**, 太太
équipe, **touèï**, 队
équipe de football, **tsóu-tj'ióou-touèï**, 足球队
erreur de numéro, **tă-ts'ouò le**, 打错了
escalier, **lóou-tī**, 楼梯
escroc, filou, **p'iēnn-ts.**, 骗子
Espagne, **Hsī-pānn-yá**, 西班牙
essayer, **ch.` í ch.`**, 试一试
essence, **tj'ì-ióou**, 汽油
est (à l'), **tōng-pienn**, 东边
est-ce que, **ma ?**, 吗/
estomac, **ouèï**, 胃
et, avec, **hé**, 和
étage, **ts'éng**, 层
étang, bassin, mare, **tch'.´-t'áng**, 池塘
été, **hsià-t'iēnn**, 夏天
éteindre, **kouānn-(chang)**, 关上
étoffe, tissu, **liào-ts.**, 料子
étranger, **ouàï-kouó-jénn**, 外国人
étranger (fam.), **lăo-ouàï**, 老外
être, **ch.`**, 是

être enceinte (être), **houàï-iùnn**, 怀孕
étudiant à l'étranger, **lióou-hsué-cheng**, 留学生
étudiant(e), **tà hsué-cheng**, 大学生
étudier, **hsué (hsí)**, 学习
Europe, **Oou-tchōou**, 区洲
éventail, **chànn-ts**, 扇子
exact, **méï ts'ouòr**, 没错儿
examen, épreuve, **k'ǎo-ch.`**, 考试
excursion (faire), **ióou-lǎnn**, 游览
excusez-moi, **touèï-pòu-tj'ǐ**, 对不起
exemplaire, **fènn**, 份
expéditeur, **tjì-tjiènn-jénn**, 寄件人
expliquer, **chouō-míng**, 说明
exposition, **tchánn-lǎnn-houèï**, 展览会
express, **tjí-tjiènn**, 急件
extrêmement, **fēï-tch'áng**, 非常
facteur, **ióou-tì-iuánn**, 邮递员
faim, **è**, 饿
faim (j'ai), **ouǒ è le**, 我饿了
faire, **tsouò**, **kànn**, 做（作）, 干
faire mal, **t'éng**, 疼
fait divers, **hsīnn-ouénn-lánn**, 新闻栏
falsifier les papiers, **ouèï-tsào tchèng-tjiènn**, 伪造证件
famille, **tjiā-t'ing**, 家庭
fast food, **k'ouàï-ts'ānn**, 快餐
fatigué, **lèï**, 累
fausse monnaie, **tjiǎ-p'iào**, 假票
fauteuil roulant, **lóunn-ǐ**, 轮椅
faux, inexact, **ts'ouò le**, 错了
faux papiers, 伪造证件, **ouèï-tsào tchèng-tjiènn**
fax, **tch'ouánn-tchēnn**, 传真
femme, épouse, **tj'ī-ts.**, 妻子
fenêtre, **tch'ouāng-hòu**, 窗户
fer à repasser, **iùnn-tǒou**, 熨斗
fermé (c'est), **kouānn ménn le**, 关门了
fermer, **kouānn**, 关
fermer (boutique), **kouānn ménn**, 关门
fermer à clé, **souǒ**, 锁
Fête de la mi-automne, **tchōng-tj'iōou-tjié**, 中秋节
Fête des Bateaux-dragon, **touānn-ǒu-tjié**, 端午节
Fête des Lanternes, **iuánn-hsiāo tjié**, 元宵节
Fête des morts, **tj'īng-míng-tjié**, 清明节
Fête du Nouvel An, **tch'ōunn-tjié**, 春节
Fête du Printemps, **tch'ōunn-tjié**, 春节
Fête internationle des femmes, **sānn pā tjié**, 三八节.
Fête Nationale, **kouó-tj'ìng-tjié**, 国庆节
feuilleton, **p'iènn-touànn kòu-ch.`**, 片段故事
feux, **hóng-lù-tēng**, 红绿灯
février, **èr-iuè**, 二月
fiancer (se), **tìng-hōunn**, 定婚
ficelle, **chéng-ts.**, 绳子
fiche le camp !, **kǒunn tch'ōu-tj'u !**, 滚出去！
fièvre (avoir de la), **fā-chāo**, 发烧
filet de tennis, **ouǎng-tj'ióou-ouǎng**, 网球网
fille (de quelqu'un), **nǔ-ér**, 女儿
film, **p'iènn-ts.**, 片子
filmer, **chè-ǐng**, 摄影
fils, **ér-ts.**, 儿子
fils de pute, connard, **ts'āo nǐ ma de**,
flâner, promener (se), **sànn-pòu**, 散步
flâner, se balader, **kouàng**, 逛
fois, **ts'.`**, 次
fondue mongole, **chouànn-iáng-jòou**, 涮羊肉
accomplir les formalités, **pànn chǒou-hsù**, 办手续
football, **tsóu-tj'ióou**, 足球
forêt, **sēnn-línn**, 森林
formalités, **chǒou-hsù**, 手续
formulaire, **piǎo-ké**, 表格
foulard, **lǐng-tjīnn**, 领巾
fourchette, **tch'á**, 叉
franc belge, **bǐ-lì-ch.´ fǎ-láng**, 比利时法郎
franc français, **fǎ-kouó fǎ-láng**, 法国法郎
franc suisse, **jouèï-ch.´ fǎ-láng**, 瑞士法郎
français (langue), **fǎ-ouénn pào-tch.ˇ**, 法文
Français(e), **Fǎ-kouó-jénn**, 法国人
France, **Fǎ-kouó**, 法国
frapper, battre, faire, **tǎ**, 打
frère aîné, **kē-kē**, 哥哥
frère cadet, **tì-tì**, 弟弟
fripouille, sale type, **houàï-jénn**, 坏人
froid (avoir), **lěng**, 冷
fromage de soja, **tòou-fou**, 豆腐
fromage de soja épicé (plat cuisiné), **má p'ó tòou-fou**, 麻婆豆腐
frontière, **piènn-tjiè**, 边界
fruits, **chouěï-kouǒ**, 水果
fuir, couler, **lòou-chouěï**, 漏水
fumer, **tch'ōou-iēnn**, 抽烟；**xī-yān**,吸烟
gagner, **íng**, 赢
gagner, avoir comme revenu, **tchèng**, 挣

gants, **chŏou-t'ào**, 手套
Gardes rouges, **hóng ouèï-pīng,** 红卫兵
gare, **tchànn**, 站
gare ferroviaire, **houŏ-tch'ē-tchànn**, 火车站
gare routière, **kōng-kòng-tj'ì-tch'ē tchànn**, 公共汽车站
garer (se), **t'íng-tch'ē**, 停车
gâteau, **tànn-kāo**, 蛋糕
gâteaux de lune, **iuè.-ping**, 月饼
gâteaux, friandises, **tiĕnn-hsīnn**, 点心
gauche (à), **tsouŏ-pienn**, 左边
geler, être frigorifié, **tòng**, 冻
gênant, embarrassant, **pòu-hăo-ì-s.¯**, 不好意思
gêner, déranger, **tá-jăo**, 打搅
gens ordinaires, **láo-păï-hsìng**, 老百姓
géomancie, **fēng-chouĕï**, 风水
germes de soja, **tòou-iá**, 豆芽
glace, **pīng-tj'i-lín**, 冰淇淋
glaçon, **pīng-k'ouàï**, 冰块
glutamate (sel), **ouèï-tjīng**, 味精
goût, saveur, **ouèï**, 味
goutte de pluie, **iú-tiĕnn**, 雨点
grand (taille), **kāo**, 高
grand magasin, **păï-houò-tà-lóou**, 百货大楼
grand, gros, âgé (gens), **tà,** 大
grand-mère, **tsóu-mŏu**, 祖母
grand-père, **tsŏu-fòu**, 祖父
Grande Muraille, **Tch'áng Tch'éng,** 长城
grande personne, **tà-jénn**, 大人
Grande Révolution Culturelle, **ouénn-houà tà ké-mìng**, 文化大革命
gratuit, **miĕnn-fèï**, 免费
grave, sérieux, **lì-haï**, 厉害
gravir une montagne, **chàng-chānn**, 上山
Grèce, **Hsī-là**, 希腊
grève, plage, **chā-t'ānn**, 沙滩
grippe, **kănn-mào**, 感冒
guéri, **hăo le**, 好了
guérir qqun, **tch.`-hăo**, 治好
guichet, **kouèï-t'áï**, 柜台
guichet, caisse, bureau, **chòou-p'iào-tch'òu**, 售票处
guide, mentor, **tăo-ióou,** 导游
habiller (s'), **tch'ouānn ī-fou**, 穿衣服
habiter, **tchòu**, 住
habits occidentaux, **hsī-fóu**, 西服
haricot, **tòou**, 豆
haut, grand (taille), **kāo**, 高
hebdomadaire, **tchōou-k'ānn**, 周刊
heure (durée), **hsiăo-ch.´**, 小时
heure (qu'il est), **tiĕnn (tchōng)**, 点
heures de bureau, **pànn-kōng ch.´-tjiēnn**, 办公时间
hier, **tsouó-t'iēnn**, 昨天
hiver, **tōng-t'iēnn**, 冬天
Hollande, **Hé-lánn**, 何兰
homme, personne, **jénn**, 人
hôpital, **ī-iuànn**, 医院
horaires, **ch.´-tjiēnn piăo**, 时间表
horloge, **tchōng**, 钟
hôtel, **fànn-t-iènn**, 饭店
huile de soja, **tjiàng-ióou**, 酱油
huit, **pā**, 八
humide, **tch'áo-ch.¯**, 潮湿
ici, **tchèï-li**, **tchèr,** 这里, 这儿
idée, **tchŏu-ì,** 主意
idiot, imbécile, **pènn tànn,** 苯蛋
il, lui, le, **t'ā**, 他
îlot (dans un carrefour), **ānn-tj'uánn-tăo**, 安全岛
ils, eux, leur, **t'ā-mènn**, 他们
imbécile, idiot, **chă-kouā**, 傻瓜
immeuble, **tà-lóou**, 大楼
imprimerie, **ìnn-chouā**, 印刷
imprimés, **ìnn-chou ā-p'ĭnn**, 印刷品
incident, accident, **ch.`-kòu**, 事故
Inde, **Inn-tòu**, 印度
infirmier(e), **hòu-ch.`**, 护士
information, **hsīnn-ouénn**, 新闻
informations (les), **pào-kào hsīnn-ouénn**, 报告新闻
ingénieur, **kōng-tch'éng-ch.¯**, 工程师
injection, piqûre, **tchēnn**, 针
inondation, **chouĕï-tsāï**, 水灾
insecte, **tch'óng**, 虫
intention (avoir l'), *penser*, **hsiăng**, 想
interdit, 禁止, **tjìnn-tch.ˇ**
interdit de fumer, **tjìnn-tch.ˇ hsī-iēnn**, 禁止吸烟
interdit de photographier, **iénn-tjìnn p'āi-tchào**, 严禁拍照
intéressant, **iŏou-ì-s.,** 有意思
international, **kouó-tjì**, 国际
internet, **ouăng-lòuo**, 网络
interprète, traduire, **fānn-ì**, 翻译
interviewer, **ts'ăï-făng**, 采访
Islam (religion), **ī-s.¯-lán tjiào**, 伊斯兰.
Italie, **I-tà-li**, 意大利
jamais (+ négation), **ts'óng-lái,** 从来
jambe, pied, **t'ouĕï**, 腿
janvier, **í-iuè**, 一月
Japon, **R.`-pĕnn**, 日本
jaune, **houáng**, 黄

je regrette, s'excuser, **pào-tj'iĕnn,** 抱歉
je, me, moi, **ouŏ**, 我
jeter l'ancre, **p'āo-máo**, 抛锚
jeudi, **hsīng-tj'ī-s.`**, 星期四
jeune, **niénn-tj'īng**, 年轻
jolie, **p'iao-liang,** 漂亮
jouer (balle), **tă tj'ióou**, 打球
jour, **t'iēnn,** 天
journal, **pào-tch.ˇ**, 报纸
journal du soir, **ouănn-pào**, 晚报
journal mural, **tà-ts.`-pào**, 大字报大字报
journaliste, **tjì-tchĕ**, 记者
journée ensoleillée, **tj'īng-t'iēnn**, 晴天
jupe, **tj'únn-ts.**, 裙子
jus d'orange, **tjú-ts.-chouĕï**, 橘子水
juste, c'est juste, **touèï le**, 对了
justement, juste, **tchèng**, 正
kaki, **ch.` ts.**, 柿子
karaoké, **k'ă-lā-o-k'eï**, 卡拉OK
kilo, **kōng-tjīnn**, 公斤
kilomètre, **kōng-lĭ,** 公里
là-bas, **nà-li**, 那里
lac, **hóu**, 湖
lac d'eau douce, **tann-chouèi-hou**, 淡水湖
laine, **iáng-máo**, 羊毛
laisser (qqchose), **lióou-hsia,** 留下
laisser un message, **lióou í ke t'iáo-ts.**, 留一个条子
laisser, faire que, **jàng**, 让
lait, **nióou-năï**, 牛奶
lampe électrique, **tiènn-tēng**, 电灯
langue anglaise, **īng-ouénn**, 英文
langue chinoise, **Tchōng-kouó-houà**, 中国话
Laos, **Lăo-ouō**, 老挝
léger, **tj'īng**, 轻
légumes, **chēng-ts'àï**, 生菜
lent, **mànn**, 慢
lentille, **piĕnn-tòou**, 扁豆
lettre, **hsìnn**, 信
lettre expresse, **k'ouàï hsìnn,** 快信
lettre ordinaire, **p'ŏu-t'ōng-hsìnn**, 普通信
lettre recommandée, **kouà-hào-hsìnn**, 挂号信
lever (du lit) (se), **tj'ĭ-tch'ouáng**, 起床
liberté de la presse, **tch'ōu-pănn ts.`-ióou**, 出版自由
ligne 1 (de bus), **í-lòu kōng-kŏng-tj'ì-tch'ē**, 一路公共汽车
ligne téléphonique, **tiènn-houà hsiènn**, 电话线
ligne téléphonique (avoir la), **tjiē-t'ōng**, 接通
limonade, **tj'ì-chouĕï**, 汽水
liquide, **hsiènn-tjīnn**, 现金
lire, **k'ànn-chōu**, 看书
lit, **tch'ouáng**, 床
livre, **chōu**, 书
livre (poids), **tjīnn**, 斤
loin, **iuănn,** 远
long, **tch'áng,** 长
longtemps, **tjiŏou,** 久
longtemps (durée), **tch'áng ch.´-tjiēnn**, 长时间
louer, **tsōu**, /租
lourd, **tchòng**, 重
lundi, **hsīng-tj'ī i**. 星期一
lune, **iuè-liang**, 月亮
lunettes, **iĕnn-tjìng**, 眼镜
lunettes de soleil, **t'àï-iáng-tjìng**, 太阳镜
machine à laver, **hsĭ-ī-tjī**, 洗衣机
madame, **t'àï-t'àï**, 太太
mademoiselle, **hsiăo-tjie,** 小姐
magasin, boutique, **chāng-tiènn**, 商店
magazine, revue illustrée, **houà-pào**, 画报
magnétoscope, **lòu-hsiàng-tjī**, 录像机
maillot de bain, **ióou-iŏng-ī**, 游泳衣
main, **chŏou**, 手
maintenant, **hsiènn-tsàï**, 现在
maison, **fáng-ts.**, 房子
maison d'en face, **touèï-ménn**, 对门
maisons de thé, **tch'á-kouănn**, 茶馆
mal du pays (avoir le), **hsiăng-tjiā**, 想家
malade, maladie, **pìng,** 病
maladie vénérienne, **hsìng pìng**, 性病
maman, **mā-ma,** 妈妈
manche, **hsiòou-ts.**, 袖子
mandarine, **tjú-ts.**, 橘子
mandat, **houèï-p'iào**, 汇票
manger, **tch'.ˉ fànn**, 吃饭
mangue, **máng-kouŏ**, 芒果
Mao Zedong, **Máo Tsé-tōng**, 毛泽东
marchander, **t'ăo-tjià houánn-tjià**, 讨价还价
marché (le), **ch.`-tch'ăng**, 市场
marcher, faire route, **tsŏou-lòu**, 走路
mardi, **hsīng-tj'ī èr**, 星期二
marée, **tch'áo**, 潮
mari et femme, **fou-tj'i,** 夫妻
mari, époux, **tchàng-fou**, 丈夫
marier (se), **tjié-hōunn**, 结婚
match, **pĭ-sàï**, 比赛
match de football, **tsóu-tj'ióou-sàï**, 足

球赛
match nul (faire), **hé**, 和
matin, **tsǎo-chang**, 早上
matinée, **chàng-ǒu**, 上午
mauvais temps, **īnn-t'iēnn**, 阴天
mauvais, gâté, pourri, **tsāo**, 糟
mauvais, mal, **pòu hǎo**, 不好
médecin, docteur, **ī-cheng**, 医生
médecine chinoise, **tchōng-ī**, 中医
médecine générale, **nèï-k'ē**, 内科
médias, **méï-tjiè**, 媒介
médicament, **iào**, 药
melon, **t'iénn-kouā**, 甜瓜
menu (le), carte (la), **ts'àï-tānn**, 菜单
mer, **hăï**, 海
merci, **hsiè-hsie**, 谢谢
mercredi, **hsīng-tj'ī-sānn**, 星期三
merde !, putain !, **t'ā mā te**, 他妈的
mère, **mŏu-tj'inn**, 母亲
mètre, **mĭ**, 米
métro, **tì-t'iĕ**, 地铁
mettre au monde, **chēng**, 生
mettre de la crème, **ts'ā hsiāng-tch.ˉ**, 擦香指
mettre en route (se), **tj'ī-chēnn**,
meuble, mobilier, **tjiā-tjù**, 家具
Mexique, **Mò-hsī-kē**, 墨西哥
mieux, **tsouèï-hǎo**, 最好
mignonne, **k'ĕ-ài te**, 可爱的
mille, **tj'iēnn**, 千
millet, **kŏu-ts.**, 谷子
milliard, **ch.ˊ-ì**, 十亿
million, **păï ouànn**, 百万
mince, **páo**, 薄
mini-jupe, **mí-nĭ-tj'únn**, 迷你群
minute, **fēnn**, 分
mode d'emploi, **chouō-míng-chōu**, 说明书
moine bouddhiste, **hé-chang**, 和尚
moins, **tch'à**, 差
mois, **iuè**, 月
moment, **ch.ˊ-hòou**, 时候
monnaie chinoise, **jénn-mínn-pì**, 人民币
monsieur, **hsiēnn-cheng**, 先生
montagne, **chānn**, 山
Montagnes Parfumées, **Hsiāng-chānn**, 香山
monter, **chàng**, 上
monter à vélo, **tj'í ts.ˋ-hsíng-tch'ē**, 骑自行车
montre-bracelet, **chóou-piǎo**, 手表
mordre, **iǎo**, 咬
moto, motocyclette, **mó-t'ouō-tch'ē**, 摩托车
mouche, **ts'āng-íng**, 苍蝇
mouchoir, **chŏou-tjuànn**, 手绢
mourir, **s.ˇ**, 死
moustique, **ouénn-ts.**, 蚊子
mouton (viande de), **iáng-jòou**, 羊肉
moyen, méthode, **pànn-fă**, 办法
musée, **pó-òu-kouănn**, 博物馆
musique, **īnn-iuè**, 音乐
nager, **ióou-iŏng**, 游泳
nature, **tà ts.ˋ-jánn**, 大自然
nausée (avoir la), **ĕ-hsīnn**, 恶心
ne pas (y) avoir, **méï iŏou**, 没有
ne pas être, **póu ch.ˋ**, 不是
ne pas se sentir bien, **pòu chōu-fou**, 不舒服
négatif, **tĭ-p'iènn**, 底片
négocier, discuter, **chāng-liàng**, 商量
neige, **hsuĕ**, 雪
neiger, **hsià hsuĕ**, 下雪
neuf, **tjiŏou**, 九
neveu, **tch.ˊ-ts.**, 侄子
nez, **pí-ts**, 鼻子
nièce, **tch.ˊ-nŭ**, 侄女
night-club, boîte de nuit, **iè-tsŏng-houèï**, 夜总会
noir, **hēï**, 黑
nom, prénom, **míng-ts**, 名字
nord, **pĕï-pienn**, 北边
noter (par écrit), **hsiĕ-hsià**, 写下
nouilles, **miènn-t'iáo**, 面条
nous, **ouŏ-menn**, 我们
nouveau, récent, **hsīnn**, 新
nouvelle, fait nouveau, **hsiāohsi**, 消息
nuage, **iúnn-ts'ăï**, 云彩
numéro, **hào-mă**, 号码
numéro de téléphone, **tiènn-houà hào-mă**, 电话号码
nurse, nourrice, **páo-mŏu**, 保姆
nylon, **ní-lóng**, 尼龙
obligé (être), **pì-hsu**, 必须
obtenir la ligne, **tjiē-hsiènn**, 接线
occupé (être), **máng**, 忙
œil, **iĕnn-tjing**, 眼睛
oeuf (de poule), **tjī-tànn**, 鸡蛋
oeufs aux champignons, **mòu-hsū-jŏou**, 木须肉
offrir, livrer, **sòng**, 送
ombrelle, parapluie, **sănn**, 伞
oncle (aîné du père), **pó-po**, 伯伯
oncle (cadet du père), **chōu-chou**, 叔叔
oncle maternel, **tjiòou-tjiòou**, 舅舅
onze, **ch.ˊ-ī**, 十一
opéra, **hsì-tjù**, 戏剧

opéra de Pékin, **tjīng-tjù**, 京剧
opération chirurgicale, **chŏou-chòu**, 手术
opérer, **tòng chŏou-chòu**, 动手术
ordinateur, **tiènn-nǎo**, 电脑
ordonnance, **iào-fāng**, 药方
oreille, **ěr-touo**, 耳朵
oreiller, traversin, **tchěnn-t'óou**, 枕头
orge, **tà-maï**, 大麦
ôter, **t'ouō**, 脱
où ?, **nǎ-li**, **nǎr**, 哪里，哪儿
où, à quel endroit, **chém-me tì-fāng?**, 什麼地方
ouest (à l'), **hsī-pienn**, 西边
ours, **hsióng**, 熊
ouvrir, **k'āï**, 开
ouvrir (magasin), **k'āï ménn**, 开门
ouvrir un compte, **k'āï hòu**, 开户
pagode, tour, **t'á**, 塔
pain, **miènn-pāo**, 面包
paire, **chouāng**, 双
paire de chaussettes (une), **ì chouāng ouà-ts.**, 一双袜子
paire de chaussures (une), **ì chouāng hsié**, 一双鞋
palais, **kōng-tiènn**, 宫殿
panda, **hsióng-māo**, 熊猫
pantalon, **k'òu-ts.**, 裤子
papier à lettre, **hsìnn-tch.ˇ**, 信纸
papier hygiénique, **ouèï-chēng-tch.ˇ**, 卫生纸
papiers d'identité, **tchèng-tjiènn**, 证件
paquebot, **k'è-lóunn**, 客轮
paquet, **pāo-kouǒ**, 包裹
par avion, **háng-k'òng hsìnn**, 航空信
par rapport à, comparer, **pǐ**, 比
parapluie, **iú-sǎnn**, 雨伞
parce que, **īnn-oueï**, 因为
pardon, excusez-moi, **láo-tjià**, 劳驾
pareil, identique, comme, **í-iàng**, 一样
parent (en général), **tj'īnn-tj'i**, 亲戚
parents père et mère, **fòu-mǒu**, 父母
parfum, **hsiāng chouěï**, 香水
Paris, **Pā-lí**, 巴黎
parking, garage, **t'íng-tch'ē-tch'ǎng**, 停车场
Parti communiste, **kòng-tch'ǎnn-tǎng**, 共产党
partir, **tch'ōu-fā**, 出发
pas mal, bien, **póu ts'ouò**, 不错
passage, couloir, **kouò-tào**, 过道
passeport, **hòu-tchào**, 护照
passer, **kouò**, 过
passer un coup de fil, **tǎ í ke tiènn-houà**, 打一个电话
pastèque, **hsī-kouā**, 西瓜
patron, **láo-pǎnn**, 老板
payant, **chòou-fèï te**, 收费的
payer, **fòu-tj'iénn**, 付钱
pays étranger, **ouàï-kóuo**, 外国
paysan, agriculteur, **nóng-mínn**, 农民
pêcher, **tǎ-iú**, 打鱼
Pékin, **Pěï-tjīng**, 北京
Pékinois(e), **Pěï-tjīng-jénn**, 北京人
pellicule, **tjiāo-tjuànn**, 胶卷
perdre (au jeu), **chōu**, 输
perdre (qqchose), **tiōou**, 丢
perdre son emploi, **ch.¯-iè**, 失业
père, **fòu-tj'inn**, 父亲
péter, foutaises, sottises, âneries, **fàng p'ì**, 放屁
petit, **hsiǎo**, 小
petit (bâtiment, gens), **ǎï**, 矮
petit pain, **mànn-t'óou**, 馒头
petit pain farci, **pāo-ts.**, 包子
petit-déjeuner, **tsǎo-fànn**, 早饭
petit-fils, **sōunn-ts.**, 孙子
petite cuiller, **hsiǎo tch'.´**, 小匙
petite monnaie, **líng-tj'iénn**, 零钱
petite-fille, **sōunn-nǔ**, 孙女
petits pains à l'étuvée, **hsiǎo-lóng-pāo**, 小龙包
pharmacie, **iào-fáng**, 药房
Philippines, **Fēï-lù-pīnn**, 菲律宾
photo, **tchaò-p'iènn**, 照片
pickpocket, **p'á-chǒou**, 扒手
pièce, **tchòu-fáng**, 住房
pièce de monnaie, **tj'iénn-pì**, 钱币
pied, **tjiǎo**, 脚
pilote, aviateur, **fēï-hsíng-iuánn**, 飞行员
pilule contraceptive, **pì-iùnn ouánn**, 避孕丸
pimenté, **là-te**, 辣的
pinceau, **máo-pǐ**, 毛笔
pique-nique, **iě-ts'ānn**, 野餐
piquer, **ts'.`**, 刺
piqûre (faire), **tǎ tchēnn**, 打针
piscine, **ióou-iǒng-tch'.´**, 游泳池
pistonner (se faire), **tsǒou hòou-ménn** *[marcher porte de derrière]*, 走后门
place assise dure, **ìng-tsouò**, 硬座
place assise molle, **jouǎnn-tsouò**, 软座
place publique, **kouáng-tch'ǎng**, 广场
place, siège, **tsouò-ouèï**, 座位
plats, légumes, **ts'àï**, 菜
pleuvoir, **hsià-ǔ**, 下雨
pluie, **iǔ**, 雨

plus, **tsouèï**, 最
poche, **k'ŏou-tàï**, 口袋
poêle, four, fourneau, **lóu-ts.**, 炉子
point, heure, **tiĕnn**, 点
pointure, **hào-mă**, 号码
poire, **lĭ**, 李
poisson, **iú**, 鱼
poisson sauce aigre-douce, **t'áng-s'ōu-iú**, 糖醋鱼
poitrine, **hsiōng-pòu**, 胸部
poli, faire des manières, **k'è-tj'ì**. 客气
pollution, **ōu-jánn**, 污染
pommade, **iào-kāo**, 药膏
pomme, **p'íng-kouŏ**, 苹果
pommes de terre, **t'ŏu-tòou**, 土豆
pont, **tj'iáo**, 桥
porc (viande de), **tchōu jòou**, 猪肉
porc sauce aigre-douce, **kŏu-lăo-jòou**, 古老肉
porte, **ménn**, 门
porte de derrière, **hòou-ménn**, 后门
porter (sur soi), **tàï**, 带
porter (à la main), **t'í**, 提
Portugal, **P'óu-t'áo-iá**, 葡萄牙
possible (être), **k'ĕ-néng**, 可能
poste (bureau local), **fēnn-tjī**, 分机
poste de radio, **óu-hsiènn-tiènn**, 无线电
poste restante, **lióou-tjú-ts.`-tj'ŭ**, 留局自取
pot-de-vin, **houèï-lòu**, 贿赂
poudre, **houŏ-iào**, 火药
poulet, **tjī**, 鸡
pouls, **mài-pó**, 脉搏
pour, **ouèï**, 为
pourboire, **hsiăo-fèï**, 小费
pourquoi, **ouèï-chém-me**, 为什麽
poussière, **tch'énn-t'ŏu**, 尘土
pouvoir, **néng**, 能 ; **k'é-ĭ**, 可以
prairie, pré, **ts'ăo-tì**, 草地
première classe, **ì-tĕng**, 一等
prendre congé, **kào-ts'.´**, 告辞
prendre des photos, **tchào-hsiàng**, 照相
prendre un coup de soleil, **chàï hóng**, 晒红
prendre, aller chercher (qqchose), **tj'ŭ**, 取
prendre (transport), **tsouò**, 坐
près, **tjìnn**, 很近
présentateur, **pō-īnn-iuánn**, 播音员
présenter (qqun), **tjiè-chao**, 介绍
préservatif, **pì-iùnn t'ào**, 避孕套
presse, périodiques, **pào-k'ānn**, 报刊
prêter, emprunter, **tjiè**, 借
prévisions météo, **t'iènn-tj'i-ù-pào**, 天气预报
prier de, svp, **tj'ĭng**, 请
printemps, **tch'ōunn-t'iēnn**, 春天
problème, **ouènn-t'í**, 问题
produire (se), **fā-cheng**, 发生
prise de courant, **tch'ā-t'óou**, 插头
professeur, enseignant, **lăo-ch.¯**, 老师
programme, émission, **tjié-mòu**, 节目
propre, **kānn-tjing**, 干净
proverbe, **tch'éng-iŭ**, 成语
public (adjectif), **kōng-iòng**, 公用
publicité, **kouăng-kào**, 广告
pull-over, chandail, **máo-ī**, 毛衣
pupitre, bureau, **chōu-tchouó**, 书桌
purée, **t'ŏu-tòou-ní**, 土豆泥
pyjama, **chouèï-ī**, 睡衣
quai, plate-forme, **tchànn-t'áï**, 站台
quai, débarcadère, **mă-t'oou**, 码头
quand, **chém-me ch.´-hòou**, 什麽时候?
quart d'heure, **k'è**, 刻
quatre, **s.`**, 四
que faire ?, **tsĕm-me pànn**, 怎麽办
quel, lequel, **nĕï**, **nă**, 哪
quel âge as-tu ?, **nĭ tjĭ souèï le ?**, 你几岁了
quelle heure est-il ?, **tjí tiĕnn tchōng**, 几点钟
quelques, **tjĭ**, 几
question, problème, **ouènn-t'í**, 问题
qui, **chéï**, **chouéï**, 谁
qui demandez-vous ?, **nínn tchăo chéï ?**, 您找谁?
qui est à l'appareil ?, **ní năr ?**, 你哪儿?
quitter, partir, **lí-k'āï**, 离开
quoi, que, **chém-me**, 什麽
quotidien (journal), **j.`-pào**, 星岛日报
raccommoder, repriser, **pŏu**, 补
raccrocher, **kouà-chang**, 挂上
radio, **chōou-īnn-tjī**, 收音机
radiodiffuser, **pō-fàng**, 播放
raisin, **p'óu-t'ao**, 葡萄
ramer, **houá-tch'ouánn**, 划船
randonner, **iuănn-tsŏou**, 远走
rapide (train), **k'ouàï-tch'ē**, 特别快车
rapport (faire), **pào-kào**, 报告
raquette de tennis, **ouăng-tj'ióou-p'āï**, 网球拍
rassasié, **tch'.¯ păo le**, 吃饱了
rat, souris, **lăo-chou**, 老鼠
rater un examen, **méï k'ăo-chang**, 没考上
raviolis, **tjiăo-ts.**, 饺子

récépissé, **chōou-tjù**, 收据, **fóu-òu-t'áï**, 服务台
récolte, moisson, **chōou-tch'éng**, 收成
recommandé, **kouà-hào-hsìnn**, 挂号信
reçu, **fā-p'iào**, 发票
réfrigérateur, **pīng-hsiāng**, 冰箱
regarder, aller voir, **k'ànn**, 看
regarder la télé, **k'ànn tiènn-ch.`**, 看电视
règlement, **kouēï-tìng**, 规定
règles, menstruation, **iuè-tjīng**, 月经
regrets (avoir des), **hòou-houěï**, 后悔
rein, **chènn**, 肾
relations, piston, **kouānn-hsi**, 关系
remplir (formulaire), **t'iénn-hsiě**, 填写
rendez-vous, **iué-houèï**, 约会
rendre la monnaie, **tchăo tj'iénn**, 找钱
renseigner (se), **tă-t'īng**, 打听
rentrer chez soi, **houēï tjiā**, 回家
réparer, **hsiōou-lĭ**, 修理
repas (un), **í tòunn fànn**, 一顿饭
repas chinois, **tchōng-ts'ānn**, 中餐
repas occidental, **hsī-ts'ānn**, 西餐
repas ordinaire, **piènn-fànn**, 便饭
répondeur, **lòu-iénn tiènn-hòua**, 留言电话
reporter (un), **t'ōng-hsùnn-iuánn**, 通讯员
reposer (se), 休息, **hsiōou-hsi**
reproduction, **fòu-tch.`-p'ĭnn**, 复制品
requin, **cha-iu**, 鲨鱼
réserver à l'avance, **iù-tìng**, 预定
réserver une chambre, **tìng fáng-tjiēnn**, 定房间
resquiller, **pòu houā-tj'iénn**, 不花钱
restaurant (d'un hôtel), cantine, **ts'ānn-t'īng**, 餐厅
restaurant, hôtel, **fànn-kouănn**, 饭馆
rester à..., **lióou tsàï**, 留在
retard (être en), **tch'.´-tào**, 迟到
retourner, rentrer, **houēï (tj'ù)**, 回去
réussir un examen, **k'ăo-chang**, 考上
revenir, rentrer, **houēï (láï)**, 回来
revue mensuelle, **iuè-k'ānn**, 月刊
revue, périodique, **tsá-tch.`**, 杂志
rez de chaussée, **ì-lóou**, 一楼
riche, **iŏou tj'iénn**, 有钱
rivière, fleuve, **hé**, **tjiāng**, 河, 江
riz (plante), **tà-mĭ**, 大米
riz (qu'on mange), **mĭ-fànn**, 米饭
robe, **liénn-ī tj'únn**, 连衣裙
robe chinoise, **tj'í-p'áo**, 旗袍
robinet, **chouēï-lóng-t'óou**, 水龙头
rock-and-roll, **iáo-păï-ŏu**, 摇摆舞
roman, **hsiăo-chouō**, 小说
Roman des Trois Royaumes, **sānn kouó iěnn-ì**, 三国演义
rose, **fěnn-hŏng**, 粉红
rouge, **hóng**, 红
rouleau de printemps, **tch'ōunn-tjuànn**, 春卷
rouler qqun, **p'iēnn jénn**, 骗人
route, ligne (bus), **lòu**, 路
ruban adhésif, **tjiāo-pòu**, 胶布
rue, **tjiē**, 街
Rue des Antiquaires (à Pékin), **Lióou-li-tch'ăng**, 琉璃厂
ruelle, **hóu-t'óng**, 胡同
Russie, **E-kouó**, 俄国
s'il vous plaît (demande de renseignement), **tj'ĭng-ouènn**, 请问
sable, **chā-ts.**, 沙子
sac à main, **chŏou-t'í-pāo**, 手提包
saison des pluies, **iŭ-tjì**, 雨季
salaire mensuel, **iuè kōng-ts.¯**, 月工资
salaud, crapule, **kŏunn-tànn**, 滚蛋
sale, **tsāng**, 脏
salle à manger, **fànn-t'īng**, 饭厅
salle de bains, **iù-ch.`**, 浴室
salle de cinéma, **tiènn-ĭng iuànn**, 电影院
salon, **k'è-t'īng**, 客厅
samedi., **hsīng-tj'ī liòou**, 星期六
sandwich, **sānn-míng-tch.`**, 三明治
satellite, **ouèï-hsīng**, 卫星
sauté de poulet émincé, **kōng păo tjī tīng**, 宫保鸡丁
savoir (en étudiant), **hsué-houèï**, 学会
savoir (faire), être possible, **houèï**, 会
savoir, être au courant, **tch.¯-tào**, 知道
scalpel, bistouri, **chŏou-chòu tāo**, 手术刀
séance, **tch'ăng**, 场
sécheresse, **hànn-tsāï**, 旱灾
secrétaire (personne), **mì-chōu**, 秘书
séjourner, rester, **tāï**, 呆
sel, **iénn**, 盐
semaine, **hsīng-tj'ī**, 星期
sentier, chemin, **hsiăo-lòu**, 小路
sept, **tj'ī**, 七
serpent, **ché**, 蛇
serpent venimeux, **tóu-ché**, 毒蛇
serveur, serveuse, **fóu-òu-iuánn**, 服务员
serviette en papier, **ts'ānn-tjīnn tch.ˇ**, 餐巾纸
seulement, **tch.ˇ**, 只
Shanghai, **Chàng-hăï**, 上海

short, **touănn-k'òu**, 短裤
sida, **àï-ts. ˉpìng**, 艾滋病
signer, **tj'iēnn (ts.ˋ)**, 签字
singe, **hóou-ts.**, 猴子
six, **liòou**, 六
skier, **houā-hsuě**, 滑雪
sofa, divan, canapé, **chā-fā**, 沙发
soie, **s.ˉ-tch'óou**, 丝绸
soie naturelle, **t'iēnn-jánn s.ˉ**, 天然丝
soie pure, **tchēnn-s.ˉ**, 真丝
soif (avoir), **k'ĕ**, 渴
soif (j'ai), **ouŏ k'ĕ le**, 我渴了
soir, soirée, **ouănn-chang**, 晚上
soja, **tà-tòou**, 大豆
solder, soldes, **tjiĕnn-tjià**, 减价
soleil, **t'àï-iáng**, 太阳
sombre, **ànn**, 暗
sommet, **chānn-tĭng**, 山顶
sorgho, **kāo-liáng**, 高粱
sorte de, **tchŏng**, 种
sortir, **tch'ōu (tj'ù)**, 出去
sortir du travail, **hsià-pānn**, 下班
souffrir de la chaleur, **chòou-jè**, 受热
souffrir, avoir mal, **t'éng**, 疼
soupe aux nouilles, **t'āng miènn**, 汤面
soupe de raviolis, **hòunn-t'ounn**, 馄饨
soupe pékinoise, **souànn là t'āng**, 酸辣汤
soupe, bouillon, **t'āng**, 汤
source, **chouĕï-iuánn**, 水源
sous-vêtements, **nèï-ī**, 内衣
soutien-gorge, **năï-tchào**, 奶罩
souvent, **tch'áng-tch'áng**, 常常
sparadrap, **hsiàng-p'í-kāo**, 橡皮膏
spectateur, public, **kouānn-tchòng**, 观众
station d'essence, **tjiā-ióou tchànn**, 加油站
station de radiodiffusion, **kouăng-pō-tiènn-t'áï**, 广播电台
stylo, **iuánn-ts.-pĭ**, 原子笔
stylo à bille, **iuánn-tchōu-pĭ**, 圆珠笔
stylo à plume, **ts.ˋ-láï-chouĕï-pĭ**, 自来水笔
sucre, **páï-t'áng**, 白糖
sud, **nánn-pienn**, 南边
suffisant, assez, **kòou**, 够
Suisse, **Jouèï-ch.ˋ**, 瑞士
sur, **chàng (piēnn)**, 上边
sur soi (avoir), **chēnn-chang**, 身上
sweat-shirt, **jóng ī**, 绒依
table, bureau, **tchouō-ts.**, 桌子
taille, **tch'ı ˇ-ts'unn**, 尺寸
talent, habileté, kung-fu, **kōng-fōu**, 功夫
tante maternelle, **í-mŏu**, 姨母
tante paternelle, **kōu-kou**, 姑姑
taoïsme, **tào-tjiào**, 道教
tard, **ouănn**, 晚
tarif, **tjià-mòu-piăo**, 价目表
tasse de..., **pēï**, 杯
taux de change, **houèï-lù**, 汇率
taxe d'aéroport, 机场税, **tjī-tch'ăng-chouèï**
taxi, **tch'ōu-tsōu-tj'ì-tch'ē**, 出租汽车
tee-shirt, **hànn-chànn**, 汉衫
télé couleur, **ts'ăï-tiènn**, 彩电
télécommunications, **tiènn-hsùnn**, 电讯
télégramme, **tiènn-pào**, 电报
téléphone, **tiènn-houà**, 电话
téléphone portable, **tà-kē-tà**, 大哥大
téléphone public, **kōng-iòng tiènn-houà**, 公用电话
téléphoner, **tă tiènn-houà,** 打电话
téléviseur, **tiènn-ch.ˋ-tjī**, 电视机
télévision, **tiènn-ch.ˋ**, 电视
télex, **tiènn-tch'ouánn**, 电传
tempête, **pào-fēng-iŭ**, 暴风雨
tempête en mer, **fēng-láng**, 风浪
temple, **miào**, 庙
temps (qui passe), **ch.ˊ-tjiēnn**, 时间
temps libre, **k'òng,** 空
tennis, **ouăng-tj'ióou**, 网球
terrain de football, **tsóu-tj'ióou-tch'ăng**, 足球场
terre, **tì**, 地
tête, **t'óou**, 头
Thaïlande, **T'àï-kouó**, 泰国.
thé, **tch'á**, 茶
thé au jasmin, **mó-lì tch'á**, 茉莉茶
thé de Longjing, **Lóng-tjĭng tch'á**, 龙井茶
thé noir, **hóng-tch'á**, 红茶
thé vert, **lù-tch'á**, 绿茶
thé Wulong, **ōu-lóng-tch'á**, 乌龙茶
Tian Anmen, **T'iēnn-ānn-ménn,** 天安门
ticket, billet, **p'iào**, 票
tigre, **láo-hŏu**, 老虎
timbre, **ióou-p'iào**, 邮票
timbrer, **t'iè ióou-p'iào**, 贴邮票
tirer, tirage, **k'ouò-tchănn**, 扩展
toilettes, **ts'è-souŏ**, 厕所
toilettes pour femmes, **nŭ-ts'è-souŏ**, 女厕所
toilettes pour hommes, **nánn-ts'è-souŏ**, 男厕所
tomates, **hsī-hóng-ch.ˋ**, 西红柿
tonne, **tōunn**, 吨
tonnerre, **léï**, 雷

tôt, **tsăo**, 早
tourisme (faire du), **lŭ-ióou**, 旅游
touriste, voyageur, **lŭ-k'è,** 旅客
tourner, **kouăï**, 拐
tousser, toux, **k'é-soou**, 咳嗽
tout, tous, **tōou**, 都
tout de suite, **mă-chang**, 马上
tout le monde, **tà-tjiā**, 大家
train, **houŏ-tch'ē,** 火车
train de nuit, **iè-tch'ē**, 夜车
train omnibus, **mànn-tch'ē**, 慢车
traiter par acupuncture, **tchā-tchēnn**, 扎针
tramway, **tiènn-tch'ē**, 电车
transcription pinyin, **p'īnn-īnn**, 拼音
travail, **kōng-tsouò**, 工作
travail (manuel), tâche, **láo-tòng**, 劳动
travailler, **kōng-tsouò**, 工作
tremblement de terre, **tì-tchènn**, 地震
trente, **sānn-ch.´**, 三十
très, **hĕnn**, 很
très chaud, **t'àng**, 烫
tricycle, **sānn-lóunn tch'ē**, 三轮车
trois, **sānn**, 三
trolleybus, **óu-kouĕï-tiènn-tch'ē**, 无轨电车
trop, **t'àï**, 太
trottoir, **jénn-hsíng-tào**, 人行道
trouver à (se), à, **tsàï**, 在
tu, te, toi, **nĭ**, 你
typhon, **t'áï-fēng**, 台风
un, **ī**, 一
un peu, **ì-tiènn**, 一点
un yuan, **í k'ouàï tj'iénn**, 一块钱
une fois, un peu, **í-hsia**, 一下
université, **tà-hsué**, 大学
Université de Pékin, **Pĕï-tà**, 北大
usine, fabrique, **kōng-tch'ăng**, 工厂
utiliser, au moyen de, avec, **iòng**, 用
vacances (être en), **fàng-tjià**, 放假
vaccin, **ì-miáo**, 疫苗
vacciner, **tchòng nióou-tòou**, 种牛痘
vase, **houā-p'íng**, 花瓶
vendeur, **chòou-houò-iuánn**, 售货员
vendre, **màï**, 卖
vendredi, **hsīng-tj'ī-ŏu**, 星期五
venir, **láï**, 来
venir de, à l'instant, **kāng-kāng**, **kāng-ts'áï**, 刚刚, 刚才
vent, **fēng**, 风
vent de sable, **fēng-chā**, 风沙
venter, faire du vent, **kouā-fēng**, 刮风
ventilateur, **fēng-chànn**, 风扇
ventre, **tŏu-ts.**, 肚子
vers, en direction de, à, **hsiàng**, 向
vert, **lù**, 绿
vertige (avoir des), **t'óou-iūnn**, 头晕
veste, **kouà-ts.**, 褂子
veste doublée, **tjiá-ăo**, 夹袄
veste ouatée, **miènn-ăo**, 棉袄
veste, veston, **chàng-ī**, 上衣
vêtements, **ī-fou**, 衣服
veuve, **kouă-fou,** 寡妇
viande, **jòou**, 肉
vider son verre, cul sec, **kānn pēï**, 干杯
vieillard, un vieux, **lăo-t'óour**, 老头儿
vieille fille, **láo-tch'óu-nŭ**, 老处女
Vietnam, **Iuè-nánn**, 越南
vieux, âgé, **lăo**, 老
village, **ts'ōunn-ts.**, 村子
ville, **tch'éng-ch.`**, 城市
vin, **p'óu-t'ao tjiŏou,** 葡萄酒
vin blanc, **páï p'óu-t'ao-tjiŏou**, 白葡萄酒
vin rouge, **hóng p'óu-t'ao-tjiŏou**, 红葡萄酒
vinaigre, **ts'ōu**, 醋
vingt, **èr-ch.´**, 十
violet, **ts.ˇ**, 紫
virus, **pìng-tou**, 病毒
visiter, **ts'ānn-kouānn**, 参观
vitamine, **ouéï-chēng-sòu**, 卫生素
vite, rapide, **k'ouàï**, 快
voir, **tjiènn**, 见
voiture, **tj'ì-tch'ē**, 汽车
voiture à cheval, **mă-tch'ē**, 马车
volcan, **houŏ-chānn**, 火山
voler, **t'ōou**, 偷
vomir, **t'ŏu**, 吐
vouloir, falloir, **iào**, 要
vous (pluriel), **nĭ-menn,** 你们
vous (sing. politesse), **nínn**, 您
voyager, **lŭ-hsíng,** 旅行
voyageur, passager, **tch'éng-k'è**, 乘客
vraiment, **tchēnn**, 真
wagon-lit, **ouò-tch'ē**, 卧车
wagon-restaurant, **ts'ānn-tch'ē,** 餐车
wok, casserole chinoise, **kouō**, 锅
yang, **iáng**, 阳
yin, **īnn**, 阴
yuan (monnaie), morceau, **k'ouàï**,
zéro, **líng**, 零

Lexique chinois-français

A

A-kēnn-t'íng, *Argentine*, 阿根廷
ăï, *petit (bâtiment, gens)*, 矮
āi-tjí, *Egypte*, 埃及
àï-ts.¯pìng, *sida*, 艾滋病
ànn, *sombre*, 暗
ānn-tjing, *calme, tranquille*, 安静
ānn-tj'uánn-tăo, *îlot (dans un carrefour)*, 安全岛
ăo-ch.¯, *enseignant(e)*, 老师
ào-tà-lì-yà, *Australie*, 澳大利亚

CH

ch.´, *dix*, 十
ch.`, *être*, 是
ch.´-ch.`, *actualités*, 时事
ch.´-èr, *douze*, 十二
ch.´-èr-iuè, *décembre*, 十二月
ch.´-hòou, *moment*, 时候
ch.´-ī, *onze*, 十一
ch.´-ì, *milliard*, 十亿
ch.` í ch.`, *essayer*, 试一试
ch.` (-tj'ing), *affaire, événement*, 事情
ch.¯-iè, *perdre son emploi*, 失业
ch.¯-iè-tchĕ, *chômeur*, 失业者
ch.`-kòu, *incident, accident*, 事故
ch.`-òu, *affaires, business*, 事务
ch.`-tchōng-hsīnn, *centre ville*, 市中心
ch.´-tch'à, *décalage horaire*, 时差
ch.`-tch'ăng, *marché (le)*, 市场
ch.´-tjiēnn, *temps (qui passe)*, 时间
ch.´-tjiēnn piăo, *horaires*, 时间表
ch.´-tjiŏou, *dix-neuf*, 十九
ch.`-ts., *kaki*, 柿子
ch.´-ts.`-lòu-k'ŏou, *carrefour*, 十字路口
chā-fā, *sofa, divan, canapé*, 沙发
chā-iú, *requin*, 鲨鱼
chă-kouā, *imbécile, idiot*, 傻瓜
chā-t'ānn, *grève, plage*, 沙滩
chā-ts., *sable*, 沙子
chàï hóng, *prendre un coup de soleil*, 晒红
chānn, *montagne*, 山
chănn-tiènn, *éclair*, 闪电
chānn-tĭng, *sommet*, 山顶
chànn-ts, *éventail*, 扇子
chàng, *monter*, 上
chàng-chānn, *gravir une montagne*, 上山
chàng-ī, *veste, veston*, 上衣
Chàng-hăï, *Shanghai*, 上海
chāng-jénn, *commerçant*, 商人
chāng-liàng, *négocier, discuter*, 商量
chàng-ŏu, *matinée*, 上午
chàng-pānn, *aller au travail*, 上班
chàng (piēnn), *dessus, sur*, 上边
chāng-tiènn, *magasin, boutique*, 商店
cháo-ts., *cuiller*, 勺子
chē, *acheter à crédit*, 赊
ché, *serpent*, 蛇
cheï, chouéï *qui*, 谁
chè-ĭng, *filmer*, 摄影
chè-lòunn, *éditorial*, 社论
chém-me ?, *quoi, que, quelle sorte de*, 什麼
chém-me-ch.´-hòou ?, *quand*, 什麼时候
chém-me tì-fāng ?, *où, quel endroit*, 什麼地方
chēng, *mettre au monde*, 生
chēng-tj'ì, *colère (être en)*, 生气
chéng-ts., *ficelle*, 绳子
chēng-ts'àï, *légumes*, 生菜
chènn, *rein*, 肾
chēnn-chang, *sur soi (avoir)*, 身上
chēnn-t'ĭ, *corps humain*, 身体
chŏou, *main*, 手
chŏou-ch., *bijoux*, 首饰
chŏou-ch. hé, *coffret à bijoux*, 首饰盒
chòou-chāng, *blessé (être)*, 受伤
chŏou-chòu, *opération chirurgicale*, 手术
chŏou-chòu tāo, *scalpel, bistouri*, 手术刀
chòou-fèï te, *payant*, 收费的
chòou-houò-iuánn, *vendeur*, 售货员
chōou-īnn-tjī, *radio*, 收音机
chòou-jè, *souffrir de la chaleur*, 受热
chóou-piăo, *montre-bracelet*, 手表
chòou-p'iào-tch'òu, *guichet, caisse, bureau*, 售票处
chōou-tch'éng, *récolte, moisson*, 收成
chōou-tjiènn-jénn, *destinataire*, 收件人
chōou-tjù, *reçu, récépissé*, 收据
chŏou-tjuànn, *mouchoir*, 手绢
chŏou-t'ào, *gants*, 手套
chōou-t'īng, *écouter une émission*, 收听
chŏou-t'í-hsiāng, *bagage à main, valise*, 手提箱
chŏou-t'í-pāo, *sac à main*, 手提包

chōu, *livre*, 书
chōu, *perdre (au jeu)*, 输
chòu, *arbre*, 树
chōu-chou, *oncle (cadet du père)*, 叔叔
chōu-fă, *calligraphie*, 书法
chōu-fáng, *cabinet, bureau*, 书房
chōu-fou, *confortable, à l'aise*, 舒服
chōu-tchouó, *pupitre, bureau*, 书桌
chouàï, *élégant, beau*, 帅
chouāng, *paire*, 双
chouànn-iáng-jòou, *fondue mongole*, 涮羊肉
chouāng-jénn, *double (chambre)*, 双人
chouāng-jénn fáng-tjiēnn, *chambre double*, 双人房间
chouěï, *eau*, 水
chouèï-ī, *pyjama*, 睡衣
chouěï-kouǒ, *fruits*, 水果
chouěï-lóng-t'óou, *robinet*, 水龙头
chouěï-tsāï, *inondation*, 水灾
chouěï-iuánn, *source*, 水源
chouō (houà), *dire, parler*, 说话
chouō-míng, *expliquer*, 说明
chouō-míng-chōu, *mode d'emploi*, 说明书

E

è, *faim*, 饿
ě-hsīnn, *nausée (avoir la)*, 恶心
é-kouó, *Russie*, 俄国
èr, *deux*, 二
èr-ch.´, *vingt*, 十
èr-iuè, *février*, 二月
ěr-touo, *oreille*, 耳朵
ér-ts., *fils*, 儿子

F

fā (tch'ōu-tj'u), *envoyer, expédier*, 发出去
fā-chāo, *fièvre (avoir de la)*, 发烧
fā-cheng, *produire (se)*, 发生
fă-hsīnn-chè, *agence France-Presse*, 法新社
fā-iénn, *enflammé (blessure)*, 发炎
fā-jè, *avoir chaud*, 发热
Fă-kouó, *France*, 法国
fă-kouó fă-láng, *franc français*, 法国法郎
Fă-kouó-jénn, *Français(e)*, 法国人
fă-ouénn pào-tch.ˇ, *français (langue)*, 法文
fā-p'iào, *reçu*, 发票
fā-ts'áï, *enrichir (s')*, 发财
fáng-chàï-kāo, *crème solaire*, 防晒膏
fáng-ouénn-chouāng, *crème anti-moustique*, 防蚊霜
fāng-piènn, *commode, pratique*, 方便
fàng-p'ì, *péter, foutaises, sottises, âneries*, 放屁
fàng-tjià, *congé (être en)*, 放假
fáng-tjiēnn, *chambre*, 房间
fáng-ts., *maison*, 房子
fānn-ì, *interprète, traduire*, 翻译
fànn-kouănn, *restaurant, hôtel*, 饭馆
fānn-tch'ouánn, *bateau à voiles, voilier*, 帆船
fànn-tiènn, *hôtel*, 饭店
fánn-t'ĭ-ts.`, *caractères compliqués*, 繁体字
fànn-t'īng, *salle à manger*, 饭厅
fēï-hsíng-iuánn, *pilote, aviateur*, 飞行员
fēï-lù-pīnn, *Philippines*, 菲律宾
Fēï-tchōou, *Afrique*, 非洲
fēï-tch'áng, *extrêmement*, 非常
fēï-tjī tch'ăng, *aéroport*, 飞机场
fēï-tjī, *avion*, 飞机
fēng, *vent*, 风
fēng-chā, *vent de sable*, 风沙
fēng-chànn, *ventilateur*, 风扇
fēng-chouěï, *géomancie*, 风水
fēng-láng, *tempête en mer*, 风浪
fēng-ouèï, *cuisine locale*, 风味
fēnn, *minute*, 分
fènn, *exemplaire*, 份
fĕnn-hŏng, *rose*, 粉红
fēnn-tjī, *poste (bureau local)*, 分机
fó, *Bouddha*, 佛
fó-tjiào, *bouddhisme*, 佛教
fòu-mŏu, *parents père et mère*, 父母
fóu-òu-iuánn, *employé (d'un service)* ; *serv-eur/-euse*, 服务员
fóu-òu-t'áï, *réception*, 服务台
fŏu-pài, *corruption, corrompu*, 腐败
fòu-tch.`-p'ĭnn, *reproduction*, 复制品
fou-tj'i, *mari et femme*, 夫妻
fòu-tj'iénn, *payer*, 付钱
fòu-tj'inn, *père*, 父亲

H

háï, *encore, en plus*, 还
hăï, *mer*, 海
hăï-kouānn, *douane*, 海关
hăï-piēnn, *bord de mer*, 海边
hăï-kouānn jénn-iuánn, *douanier*, 海关人员
háï-ts., *enfant*, 孩子
háng-k'ōng hsìnn, *par avion*, 航空信

hànn-chànn, *tee-shirt*, 汉衫
hànn-ts.`, *caractère chinois*, 汉字
hànn-tsāï, *sécheresse*, 旱灾
hǎo, *bien, bon*, 好
haǒ-k'ànn, *beau*, 好看
hǎo le, *guéri*, 好了
hào-mǎ, *numéro, pointure*, 号码
hǎo-tch'.ˉ, *bon (à manger)*, 好吃
hǎo-tjǐ, *beaucoup, bon nombre*, 好几
hē, *boire*, 喝
hé, *et, avec*, 和
hé, *match nul (faire)*, 和
hé, *rivière, fleuve*, 河
hé. ch., *aller (style d'un vêtement)*, 合适
hé-chang, *moine bouddhiste*, 和尚
hé-chēnn, *aller (taille d'un vêtement)*, 合身
hé-lánn, *Hollande*, 何兰
hè-sè, *brun, marron*, 褐色
hé-t'óng, *contrat*, 合同
hēï, *noir*, 黑
hěnn, *très*, 很
hóng, *rouge*, 红
hóng, *arc-en-ciel*, 虹
hòng-chouěï, *crue*, 洪水
hóng-lù-tēng, *feux*, 红绿灯
hóng-tch'á, *thé noir*, 红茶
hóng ouèï-pīng, *Gardes rouges*, 红卫兵
hóng p'óu-t'ao-tjiǒou, *vin rouge*, 红葡萄酒
hòou, *épais*, 厚
hòou-houěï, *regrets (avoir des)*, 后悔
hòou-ménn, *porte de derrière, piston*, 后门
hòou-pienn, *derrière*, 后边
hóou-ts., *singe*, 猴子
hòou-t'iēnn, *après-demain*, 后天
hóu, *lac*, 湖
hòu-ch.`, *infirmier(e)*, 护士
hòu-k'ǒou, *certificat de résidence*, 户口
hòu-tchào, *passeport*, 护照
hóu-t'óng, *ruelle*, 胡同
hòu-t'óou, *compte en banque*, 户头
houā-hsuě, *skier*, 滑雪
houǎ-pào, *magazine, revue illustrée*, 画报
houā-p'íng, *vase*, 花瓶
houá-tch'ouánn, *ramer*, 划船
houá-tj'iáo, *Chinois d'Outremer*, 华侨
houáï-iùnn, *être enceinte (être)*, 怀孕
houàï-jénn, *fripouille, sale type*, 坏人
houàï le, *cassé*, 坏了
houàï-tànn, *crapule, ordure*, 坏蛋
houáng, *jaune*, 黄
houànn, *changer*, 换
houànn-tēng-p'iènn, *diapositive*, 幻灯片
houànn ī-fou, *changer (se)*, 换衣服
houānn-íng, *accueillir, bienvenue*, 欢迎
houànn tēng-p'ào, *changer une lampe*, 换灯泡
houànn-tch'ē, *changer (de véhicule)*, 换车
houánn-tch'éng-lòu, *boulevard périphérique*, 环城路
houànn tj'iénn, *changer de l'argent*, 换钱
houēï, *cendre*, 灰
houèï, *savoir (faire), être possible*, 会
houéï tjiā, *rentrer chez soi*, 回家
houéï (láï), *revenir, rentrer*, 回来
houèï-lòu, *pot-de-vin*, 贿赂
houèï-lù, *taux de change*, 汇率
houèï-p'iào, *mandat*, 汇票
houéï (tj'ù), *s'en retourner, rentrer*, 回去
hóunn-tànn, *canaille, salaud*, 混蛋
hòunn-t'ounn, *soupe de raviolis*, 馄饨
houǒ-chānn, *volcan*, 火山
houǒ-iào, *poudre*, 火药
houǒ-tch'ē, *train*, 火车
houǒ-tch'ē p'iào, *billet de chemin de fer*, 火车票
houǒ-tch'ē-tchànn, *gare ferroviaire*, 火车站

HS

hsì ānn-tj'uánn-tàï, *attacher les ceintures*, 系安全带
hsī-fóu, *habits occidentaux*, 西服
hsī-hóng-ch.`, *tomates*, 西红柿
hsǐ-houānn, *aimer*, 喜欢
hsǐ-ī-tjī, *machine à laver*, 洗衣机
hsī-kouā, *pastèque*, 西瓜
hsī-là, *Grèce*, 希蜡
hsī-pānn-yá, *Espagne*, 西班牙
hsī-pienn, *est (à l')*, 西边
hsì-tjù, *opéra*, 戏剧
hsī-ts'ānn, *repas occidental*, 西餐
hsiā, *crevette*, 虾
hsià (tj'u), *descendre*, 下去
hsià-hsuě, *neiger*, 下雪
hsià-ǒu, *après-midi*, 下午
hsià-pānn, *sortir du travail*, 下班
hsià-pienn, *dessous, sous*, 下边
hsià-t'iēnn, *été*, 夏天
hsià-ǔ, *pleuvoir*, 下雨

hsiāng, *encens, odorant*, 香
hsiăng, *intention (avoir l'), penser*, 想
hsiàng, *vers, en direction de, à*, 向
Hsiāng-chānn, *Montagnes Parfumées*, 香山
hsiāng-chouĕï, *parfum*, 香水
hsiāng-hsià, *campagne*, 乡下
hsiàng-liènn, *collier*, 项链
hsiàng-p'í-kāo, *sparadrap*, 橡皮膏
hsiăng-tjiā, *mal du pays (avoir le)*, 想家
hsīang-tjiāo, *banane*, 香蕉
hsiāng-ts., *caisse, valise*, 箱子
hsiăo, *petit*, 小
hsiăo-ch.´, *heure (durée)*, 小时
hsiăo tch'.´, *petite cuiller*, 小匙
hsiăo-chouō, *roman*, 小说
hsiăo-fèï, *pourboire*, 小费
hsiāo-hsi, *nouvelle, fait nouveau*, 消息
hsiăo-hsīnn, *faire attention*, 小心
hsiăo-lóng-pāo, *petits pains à l'étuvée*, 小龙包
hsiăo-lòu, *sentier, chemin*, 小路
hsiăo-màï, *blé*, 小麦
hsiăo-tjie, *mademoiselle*, 小姐
hsiĕ hsìnn, *faire son courrier*, 写信
hsiĕ-hsià, *noter (par écrit)*, 写下
hsiè-hsie, *merci*, 谢谢
hsiĕ (ts.`), *écrire*, 写字
hsiēnn-cheng, *monsieur*, 先生
hsiènn-tjīnn, *liquide*, 现金
hsiènn-tsàï, *maintenant*, 现在
hsíng, *ça marche*, 行
hsíng-lĭ, *bagages*, 行李
hsìng pìng, *maladie vénérienne*, 性病
hsīng-tj'ī èr, *mardi*, 星期二
hsīng-tj'ī i, *lundi*, 星期一
hsīng-tj'ī j.`, *dimanche (formel)*, 星期日
hsīng-tj'ī liòou, *samedi.*, 星期六
hsīng-tj'ī t'iēnn, *dimanche*, 星期天
hsīng-tj'ī, *semaine*, 星期
hsīng-tj'ī-ŏu, *vendredi*, 星期五
hsīng-tj'ī-s.`, *jeudi*, 星期四
hsīng-tj'ī-sānn, *mercredi*, 星期三
hsīnn, *nouveau, récent*, 新
hsìnn, *lettre*, 信
hsìnn-fēng, *enveloppe*, 信封
hsīnn-houá-chè, *agence Chine nouvelle*, 新华社
hsìnn-hsiāng, *boîte aux lettres*, 信箱
hsìnn-iòng-k'ă, *carte de crédit*, 信用卡
hsīnn-niénn hăo, *Bonne année !*, 新年好
hsīnn-ouénn, *information*, 新闻
hsīnn-ouénn-lánn, *fait divers*, 新闻栏
hsìnn-tch.ˇ, *papier à lettre*, 信纸
hsìnn-tjiènn, *courrier*, 信件
hsióng, *ours*, 熊
hsióng-māo, *panda*, 熊猫
hsiōng-pòu, *poitrine*, 胸部
hsiōou-hsi, *reposer (se)*, 休息
hsiōou-lĭ, *réparer*, 修理
hsiòou-ts., *manche*, 袖子
hsuànn-fēng, *cyclone, tornade*, 旋风
hsué, *étudier*, 学习
hsuĕ, *neige*, 雪
hsué-cheng, *élève*, 学生
hsué-chēng tchèng, *carte d'étudiant*, 学生证
hsuĕ-houā-kāo, *crème de beauté*, 雪花膏
hsué-houèï, *savoir (en étudiant)*, 学会
hsué-hsí, *étudier*, 学习
hsué-hsiào, *école*, 学校
hsué-niénn, *année scolaire*, 学年
hsuĕ-rénn, *bonhomme de neige*, 雪人
hsuĕ-tj'íóou, *boule de neige*, 雪球

I

ī, *un*, 一
ì, *cent millions*, 亿
ī-cheng, *médecin, docteur*, 医生
ì chouāng hsié, *paire de chaussures (une)*, 一双鞋
ì chouāng ouà-ts., *paire de chaussettes (une)*, 一双袜子
ī-fou, *vêtements*, 衣服
í-hsia, *une fois, un peu*, 一下
í-iàng, *pareil, identique, comme*, 一样
ī-iuànn, *hôpital*, 医院
í-iuè, *janvier*, 一月
í ke tiènn-houà, *appel, coup de fil*, 一个电话
í k'ouàï tj'iénn, *un yuan*, 一块钱
ì-lóou, *rez de chaussée*, 一楼
í-lòu kōng-kŏng-tj'ì-tch'ē, *ligne 1 (de bus)*, 一路公共汽车
í-lòu p'íng-ānn !, *bon voyage*, 一路平安！
ì-miáo, *vaccin*, 疫苗
í-mŏu, *tante maternelle*, 姨母
ī-s.ˉ-lán tjiào, *Islam (religion)*, 伊斯兰教
ì-tà-li, *Italie*, 意大利
ì-tch.´ tsŏou, *allez tout droit*, 一直走
ì-tĕng, *première classe*, 一等
ì-tiènn, *un peu*, 一点
í tòunn fànn, *repas (un)*, 一顿饭

ǐ-tjīng, *déjà*, 已经
i-tj'ìenn, *avant, autrefois*, 以前
ǐ-ts., *chaise, fauteuil*, 椅子
iā, *canard*, 鸭
iá-ī, *dentiste*, 牙医
Ià-tchōou, *Asie*, 亚洲
iá-tch'.ˇ, *dents*, 牙齿
iáng, *le yang*, 阳
iáng-jòou, *mouton (viande de)*, 羊肉
iáng-máo, *laine*, 羊毛
iǎo, *mordre*, 咬
iaò, *médicament*, 药
iào, *vouloir, falloir*, 要
iào-ch., *clé*, 钥匙
iào-fāng, *ordonnance*, 药方
iào-fáng, *pharmacie*, 药房
iào-kāo, *pommade*, 药膏
iáo-pǎï-ǒu, *rock-and-roll*, 摇摆舞
iào-p'ìenn, *comprimé, cachet*, 药片
iě, *aussi, également*, 也
iě-chòou, *animal sauvage*, 野兽
iénn, *sel*, 盐
iénn-sè, *couleur*, 颜色
iěnn-tjing, *œil*, 眼睛
iěnn-tjìng, *lunettes*, 眼镜
iénn-tjìnn p'āi-tchào, *interdit de photographier*, 严禁拍照
iè-tch'ē, *train de nuit*, 夜车
iè-tsǒng-houèï, *night-club, boîte de nuit*, 夜总会
iě-ts'ānn, *pique-nique*, 野餐
íng, *gagner*, 赢
īng-ér, *bébé*, 婴儿
īng-kāï, *devoir (moral)*, 应该
īng-kouó, *Angleterre*, 英国
īng-ouénn, *langue anglaise*, 英文
ìng-ouò, *couchettes dures*, 硬卧
ìng-tsouò, *place assise dure*, 硬座
īnn, *couvert, nuageux*, 阴
īnn, *le yin*, 阴
ìnn-chouā, *imprimerie*, 印刷
ìnn-chouā-p'ǐnn, *imprimés*, 印刷品
ínn-háng, *banque*, 银行
īnn-iuè, *musique*, 音乐
ǐnn-liào, *boisson*, 饮料
īnn-oueï, *parce que*, 因为
ìnn-tòu, *Inde*, 印度
ínn-ts., *argent*, 银子
īnn-t'iēnn, *mauvais temps*, 阴天
iòng, *utiliser, au moyen de, avec*, 用
ióou-iǒng, *nager*, 游泳
ióou-lǎnn, *excursion (faire)*, 游览
ióou-p'iào, *timbre*, 邮票
ióou-tchèng-piēnn-mǎ, *code postal*, 邮政编码
ióou-tì-iuánn, *facteur*, 邮递员
ióou-tjú, *bureau de poste*, 邮局
iǒou-ì-s., *intéressant*, 有意思
iǒou., *avoir, y avoir*, 有
iǒou-hsiènn, *câble (télévision)*, 有线
iǒou tj'iénn, *riche*, 有钱
iòou-pienn, *droite (à)*, 右边
iú, *poisson*, 鱼
iǔ, *pluie*, 雨
iù-ch.ˋ, *salle de bains*, 浴室
iú-sǎnn, *parapluie*, 雨伞
iú-tiěnn, *goutte de pluie*, 雨点
iù-tìng, *réserver à l'avance*, 预定
iǔ-tjì, *saison des pluies*, 雨季
iuǎnn, *loin*, 远
iuánn-hsiāo tjié, *Fête des Lanternes*, 元宵节
iuánn-tchōu-pǐ, *stylo à bille*, 圆珠笔
iuánn-ts.-pǐ, *stylo*, 原子笔
iuǎnn-tsǒou, *randonner*, 远走
iuè kōng-ts.ˉ, *salaire mensuel*, 月工资
iuè, *mois*, 月
iuè-ch.ˊ, *éclipse de lune*, 月食
iuè-fòu, *beau-père*, 岳父
iué-houèï, *rendez-vous*, 约会
iuè-iá, *croissant de lune*, 月牙
iuè-kouāng, *clair de lune*, 月光
iuè-k'ānn, *revue mensuelle*, 月刊
iuè-láï-iuè, *de plus en plus*, 越来越
iuè-liang, *lune*, 月亮
iuè-mǒu, *belle-mère*, 岳母
iuè-nánn, *Vietnam*, 越南
iuè-ping, *gâteaux de lune*, 月饼
iuè-tjīng, *règles, menstruation*, 月经
iùnn-tch'ouánn, *avoir le mal de mer (avoir le)*, 晕船
iùnn-tǒou, *fer à repasser*, 熨斗
iúnn-ts'ǎï, *nuage*, 云彩

J

j.ˋ-kouāng-iù, *bain de soleil*, 日光浴
j.ˋ-pào, *quotidien (journal)*, 星岛日报
j.ˋ-pěnn, *Japon*, 日本
jàng tsouòr, *céder sa place*, 让座儿
jàng, *laisser, faire que*, 让
jè, *chaud, faire chaud*, 热
jè-chouěï, *eau chaude*, 热水
jè-chouěï-p'íng, *bouteille thermos*, 热水瓶
jénn, *homme, personne*, 人
jènn-ch., *connaître*, 认识
jénn-hsíng-tào, *trottoir*, 人行道
jénn-mínn-pì, *monnaie chinoise*, 人民

币
jóng ī, *sweat-shirt*, 绒依
jóng-máo, *duvet*, 绒毛
jòou, *viande*, 肉
jouănn-ouò, *couchettes molles*, 软卧
jouănn-tsouò, *places assises molles*, 软座
jouèï-ch.ˋ, *Suisse*, 瑞士
jouèï-ch.ˊ fă-láng, *franc suisse*, 瑞士法郎

K

kāng-kāng, *venir de, à l'instant*, 刚刚
kāng-ts'áï, *venir de, à l'instant*, 刚才
kănn-chang, *attraper (un bus, un train...)*, 赶上
kănn-mào, *grippe*, 感冒
kānn pēï, *vider son verre, cul sec*, 干杯
kànn-pòu, *cadre (personne)*, 干部
kānn-tjing, *propre*, 干净
kāo, *haut*, 高
kāo, *haut, grand (taille)*, 高
kāo-hsìng, *content (être)*, 高兴
kāo-liáng, *sorgho*, 高粱
kào-sou, *dire* (à quelqu'un), 告诉
kào-ts'.ˊ, *prendre congé*, 告辞
ke, *class. des humains*, 个
kē-kē, *frère aîné*, 哥哥
kē-po, *bras*, 胳膊
kĕï, *donner, à, pour*, 给
kēnn, *avec*, 跟
kōng-fōu, *talent, habileté, kung-fu*, 功夫
kōng-iòng, *public (adjectif)*, 公用
kōng-iòng tiènn-houà, *téléphone public*, 公用电话
kōng-kòng-tj'ì-tch'ē, *autobus*, 公共汽车
kōng-kòng-tj'ì-tch'ē tchànn, *gare routière*, 公共汽车站
kōng-lĭ, *kilomètre*, 公里
kōng păo tjī tīng, *sauté de poulet émincé*, 宫保鸡丁
kōng-s.ˉ, *compagnie, entreprise*, 公司
kōng-tch'ăng, *usine, fabrique*, 工厂
Kòng-tch'ănn-tăng, *Parti Communiste*, 共产党
kōng-tch'éng-ch.ˉ, *ingénieur*, 工程师
kōng-tiènn, *palais*, 宫殿
kōng-tjīnn, *kilo*, 公斤
kōng-tsouò, *travailler, travail*, 工作
kōng-tsouò tchèng, *carte de travail*, 工作证
kŏou, *chien*, 狗
kòou, *suffisant, assez*, 够
kŏu-kōng, *Cité Interdite*, 故宫
kōu-kou, *tante paternelle*, 姑姑
kŏu-lăo-jòou, *porc sauce aigre-douce*, 古老肉
kóu-tŏng, *antiquité (objet)*, 古董
kŏu-ts., *millet*, 谷子
kouà-chang, *raccrocher*, 挂上
kouā-fēng, *venter, faire du vent*, 刮风
kouă-fou, *veuve*, 寡妇
kouà-hào-hsìnn, *recommandé*, 挂号信
kouà-ts., *veste*, 褂子
kouăï, *tourner*, 拐
kouàng, *flâner, se balader*, 逛
kouăng-kào, *publicité*, 广告
kouăng-pō-tiènn-t'áï, *station de radiodiffusion*, 广播电台
Gouăng-tchōou, *Canton*, 广州
kouáng-tch'ăng, *place publique*, 广场
kouānn, *fermer*, 关
kouànn, *boîte de conserve*, 罐
kouānn-(chang), *éteindre*, 关上
kouānn ménn le, *c'est fermé*, 关门了
kouānn ménn, *fermer (boutique)*, 关门
kouānn-hsi, *relations, piston*, 关系
kouānn-liáo-tchŏu-i, *bureaucratie*, 官僚主义
kouānn-tchòng, *spectateur, public*, 观众
kouànn-tjūnn, *champion*, 冠军
kouèï, *cher*, 贵
kouēï-tìng, *règlement*, 规定
kouèï-ts., *armoire, coffre, caisse*, 柜子
kouèï-t'áï, *guichet*, 柜台
kŏunn-tànn, *salaud, crapule*, 滚蛋
kŏunn tch'ōu-tj'u, *fiche le camp*, 滚出去
kouò, *passer*, 过
kouō, *wok, casserole chinoise*, 锅
kouò-tào, *passage, couloir*, 过道
kouó-tjì, *international*, 国际
kouó-tjì tiènn-houà, *appel international*, 国际电话
kouó-tj'ìng-tjié, *Fête Nationale*, 国庆节

K'

k'ā-fēï, *café*, 咖啡
k'ā-fēï-kouănn, *café (lieu)*, 咖啡馆
k'ā-fēï-nióou-năï, *café au lait*, 咖啡牛奶
k'āï, *conduire, partir (véhicule)*, 开
k'āï, *ouvrir*, 开
k'āï-ch.ˇ, *commencer*, 开始
k'āï-chouĕï, *eau bouillie (pour boire)*,

eau plate, 开水
k'āï hòu, *ouvrir un compte*, 开户
k'āï-iĕnn, *commencer (spectacle)*, 开演
k'āï ménn, *ouvrir (magasin)*, 开门
k'āï tch'ē, *conduire (voiture)*, 开车
k'āï-tch'ē-te, *conducteur*, 开车的
k'ă-lā-o-k'eï, *karaoké*, 卡拉OK
k'ànn tiènn-ch.`, *regarder la télé*, 看电视
k'ànn tiĕnn-ìng, *aller au cinéma*, 看电影
k'ànn, *regarder, aller voir*, 看
k'ăo-ch.`, *examen, épreuve*, 考试
k'ăo-chang, *réussir un examen*, 考上
k'ànn-chōu, *lire*, 看书
k'ăo-iā, *canard laqué*, 考鸭
k'ĕ, *soif (avoir)*, 渴
k'è, *quart d'heure*, 刻
k'ĕ-ài te, *mignonne*, 可爱的
k'ĕ-k'ŏou-k'ĕ-le, *coca-cola*, 可口可乐
k'è-lóunn, *paquebot*, 客轮
k'ĕ-néng, *possible (être)*, 可能
k'é-soou, *tousser, toux*, 咳嗽
k'è-tch'ē, *autocar*, 客车
k'è-tj'ì, *poli, faire des manières*, 客气
k'è-t'īng, *salon*, 客厅
k'é-ï, *pouvoir*, 可以
k'òng, *temps libre*, 空
k'ōng-fáng, *chambre libre*, 空房
k'ŏng-hsué, *confucianisme*, 孔学
k'ŏou-tàï, *poche*, 口袋
k'ōng-t'óou tch.¯-p'iào, *chèque sans provision*, 空头支票
k'òou-ts., *bouton*, 扣子
k'ù-tàï, *ceinture de pantalon*, 裤带
k'ù-ts., *pantalon*, 裤子
k'ouàï, *vite, rapide*, 快
k'ouàï, *yuan (monnaie), morceau*, 块
k'ouàï hsìnn, *lettre expresse*, 快信
k'ouàï-tch'ē, *rapide (train)*, 特别快车
k'ouàï-ts, *baguettes (pour manger)*, 快子
k'ouàï-ts'ānn, *fast food*, 快餐
k'ouò-tchănn, *tirer, tirage (photo)*, 扩展

L

là-te, *pimenté*, 辣的
láï, *venir*, 来
láï-houeï-p'iào, *billet aller et retour*, 来回票
láï-ouănn, *arriver en retard*, 来晚
lánn, *bleu*, 蓝
lánn-tj'ióou, *basket-ball*, 篮球
lăo, *vieux, âgé*, 老
lăo-ch.¯, *professeur, enseignant*, 老师
lăo-chou, *rat, souris*, 老鼠
láo-hŏu, *tigre*, 老虎
lăo-ouàï, *étranger (fam)*, 老外
lăo-ouō, *Laos*, 老挝
láo-păï-hsìng, *gens ordinaires*, 老百姓
láo-pănn, *patron*, 老板
láo-tòng, *travail (manuel), tâche*, 劳动
lăo-t'óour, *vieillard, un vieux*, 老头儿
láo-tch'óu-nŭ, *vieille fille*, 老处女
láo-tjià, *pardon, excusez-moi*, 劳驾
le, *suffixe verbal du passé*, 了
léï, *tonnerre*, 雷
lèï, *fatigué*, 累
lĕng, *froid (avoir)*, 冷
lĕng-ĭnn, *boisson fraîche*, 冷饮
lĕng-tj'ì, *climatisation*, 冷气
lĭ, *poire*, 李
lì-haï, *grave, sérieux*, 厉害
lí-hōunn, *divorcer*, 离婚
lí-k'āï, *quitter, partir*, 离开
li (piēnn), *dedans, dans*, 里晚
lì-t'ĭ īnn-hsiăng, *chaîne hi-fi*, 立体音响
liăng, *deux (+ class.)*, 两
liàng, *class. des véhicules*, 辆
liào-ts., *étoffe, tissu*, 料子
liénn-ī tj'únn, *robe*, 连衣裙
líng, *zéro*, 零
lĭng-tàï, *cravate*, 领带
lĭng-tjīnn, *foulard*, 领巾
líng-tj'iénn, *petite monnaie*, 零钱
lĭng-ts., *col*, 领子
lióou tsàï, *rester à...*, 留在
liòou, *six*, 六
lióou í ke t'iáo-ts., *laisser un message*, 留一个条子
lióou-hsia, *laisser (qqchose)*, 留下
lióou-hsué-cheng, *étudiant à l'étranger*, 留学生
Lióou-li-tch'ăng, *Rue des Antiquaires (à Pékin)*, 琉璃厂
lióou-tjú-ts.`-tj'ŭ, *poste restante*, 留局自取
Lóng-tjĭng tch'á, *thé de Longjing*, 龙井茶
lòou-choueï, *fuir, couler*, 漏水
lóou-tī, *escalier*, 楼梯
lòu, *route, ligne (bus)*, 路
lòu-hsiàng-tàï, *cassette vidéo*, 录像带
lòu-hsiàng-tjī, *magnétoscope*, 录像机
lòu-iénn tiènn-hòua, *répondeur*, 留言电话
lòu-íng, *camper, bivouaquer*, 露营

lóunn-ĭ, *fauteuil roulant*, 轮椅
lóu-ts., *poêle, four, fourneau*, 炉子
lù, *vert*, 绿
lŭ-hsíng, *voyager*, 旅行
lŭ-hsíng-chè, *agence de voyages*, 旅行社
lŭ-hsíng tch.¯-p'iào, *chèque de voyage*, 旅行支票
lŭ-ióou, *tourisme (faire du)*, 旅游
lú-kouănn, *auberge, hôtel*, 旅馆
lŭ-k'è, *touriste, voyageur*, 旅客
lù-tch'á, *thé vert*, 绿茶

M

ma, *est-ce que*, 吗/
mă, *cheval*, 马
mă-chang, *tout de suite*, 马上
má-fánn, *déranger, ennuyeux, ennuis*, 麻烦
mā-ma, *maman*, 妈妈
má p'ó tòou-fou, *fromage de soja épicé (plat cuisiné)*, 麻婆豆腐
mă-tch'ē, *voiture à cheval*, 马车
mă-t'oou, *quai, débarcadère*, 码头
măï, *acheter*, 买
màï, *vendre*, 卖
mài-pó, *pouls*, 脉搏
màï tjiòou-te, *acheter d'occasion*, 买旧的
măï tōng-hsi, *faires les courses (faire)*, 买东西
máng, *occupé*, 忙
máng-kouŏ, *mangue*, 芒果
mànn, *lent*, 慢
mànn-tch'ē, *train omnibus*, 慢车
mànn-t'óou, *petit pain*, 馒头
māo, *chat*, 猫
mào-hsiĕnn-tjiā, *aventurier*, 冒险家
máo-ī, *pull-over, chandail*, 毛衣
máo-pĭ, *pinceau*, 毛笔
máo-tòunn, *contradiction*, 矛盾
máo-t'áï tjiŏou, *alcool maotai*, 茅台酒
mào-ts., *chapeau, casquette*, 帽子
Máo Tsé-tōng, *Mao Zedong*, 毛泽东
mĕï, *chaque*, 每
méï iŏou, *ne pas (y) avoir*, 没有
mĕï-iuánn, *dollar*, 美元
méï-kouānn-hsi, *cela ne fait rien*, 没关系
Mĕï-kouó, *Amérique (USA)*, 美国
méï k'ăo-chang, *rater un examen*, 没考上
méï ts'ouòr, *exact*, 没错儿
mĕï-tchōou, *Amérique (continent)*, 美洲
méï-tjiè, *médias*, 媒介
ménn, *porte*, 门
mĭ, *mètre*, 米
mì-chōu, *secrétaire (personne)*, 秘书
mĭ-fànn, *riz (qu'on mange)*, 米饭
mí-lòu, *égarer (s'), se perdre*, 迷路
mí-nĭ-tj'únn, *mini-jupe*, 迷你群
miào, *temple*, 庙
miènn-ăo, *veste ouatée*, 棉袄
miĕnn-fèï, *gratuit*, 免费
miénn-houā, *coton*, 棉花
miènn-pāo, *pain*, 面包
Miĕnn-tiènn, *Birmanie*, 缅甸
miènn-t'iáo, *nouilles*, 面条
míng-hsìnn-p'iènn, *carte postale*, 明信片
míng-páï, *comprendre*, 明白
míng-p'iènn, *carte de visite*, 名片
míng-ts., *nom, prénom*, 名字
míng-t'iēnn, *demain*, 明天
mò-hsī-kē, *Mexique*, 墨西哥
mó-lì tch'á, *thé au jasmin*, 茉莉茶
mó-t'ouō-tch'ē, *moto, motocyclette*, 摩托车
mòu-hsū-jŏou, *oeufs aux champignons*, 木须肉
mòu-ti tì, *destination*, 目的地
mŏu-tj'inn, *mère*, 母亲

N

nă-li, **năr**, *où ?*, 哪里, 哪儿
nà-li, **nàr**, *là-bas*, 那里
nà-me, *alors, autant*, 那麽
nánn, *difficile*, 难
năï-tchào, *soutien-gorge*, 奶罩
Nánn-fēï, *Afrique du Sud*, 南非
nánn-pienn, *au sud*, 南边
nánn-p'éng-iŏou, *compagnon, petit-ami*, 男朋友
nánn-ts'è-souŏ, *toilettes pour hommes*, 男厕所
nào tŏu-ts., *diarrhée (avoir la)*, 闹肚子
nĕï niénn, *en quelle année ?*, 哪年
nĕï, **nă**, *quel, lequel*, 哪
nèï, **nà**, *celui-là, ce...là*, 那
nèï-ī, *sous-vêtements*, 内衣
nèï-iàng, *ainsi, de cette façon-là*, 那样
nĕï-kouó. **nà**, *de quel pays*, 哪国
nèï-k'ē, *médecine générale*, 内科
néng, *pouvoir*, 能
nĭ, *tu, te, toi*, 你
ní hăo!, *bonjour (à une personne)*, 你好!
ní-lóng, *nylon*, 尼龙

nĭ-menn hăo !, *bonjour (à plusieurs personnes)*, 你们好！
nĭ-menn, *vous (pluriel)*, 你们
ní năr ?, *qui est à l'appareil ?*, 你哪儿？
ní tchăo cheĭ ?, *qui demandez-vous ?*, 您找谁？
nĭ tjĭ souèï le ?, *quel âge as-tu ?*, 你几岁了
niénn, *année*, 年
niénn-tj'īng, *jeune*, 年轻
níng-méng, *citron*, 柠檬
nínn, *vous (sing. politesse)*, 您
nínn hăo ma ?, *bonjour (à une personne, politesse)*, 您好吗？
niŏou-chāng, *entorse*, 扭伤
niŏou-chāng-kāo, *crème inflammatoire*, 扭伤膏
nióou-jòou, *bœuf (viande de)*, 牛肉
nióou-năï, *lait*, 牛奶
nóng-mínn, *paysan, agriculteur*, 农民
nŭ-ér, *fille (de quelqu'un)*, 女儿
nŭ-p'éng-iŏou, *compagne, petite-amie*, 女朋友
nŭ-ts'è-souŏ, *toilettes pour femmes*, 女厕所

O

ōou-tchōou, *Europe*, 区洲
ŏu, *cinq*, 五
òu, *brouillard, brume*, 雾
ŏu-fànn, *déjeuner*, 午饭
óu-hsiènn-tiènn, *poste de radio*, 无线电
ōu-jánn, *pollution*, 污染
óu-kouĕï-tiènn-tch'ē, *trolleybus*, 无轨电车
ōu-lóng-tch'á, *thé Wulong*, 乌龙茶
ouàï-houèï, *devise étrangère*, 外汇
ouàï-kóuo, *pays étranger*, 外国
ouàï-kouó-jénn, *étranger*, 外国人
ouàï-pienn, *dehors*, 外边
ouăng-louò, *internet*, 网络
ouáng-pā tànn, *cocu, pauvre type*, 王八蛋
ouăng-tj'ióou, *tennis*, 网球
ouăng-tj'ióou-ouăng, *filet de tennis*, 网球网
ouăng-tj'ióou-p'āï, *raquette de tennis*, 网球拍
ouăng-tj'ióou-tch'ăng, *court de tennis*, 网球场
ouănn, *bol*, 碗
ouănn, *tard*, 晚
ouànn, *dix-mille*, 万
ouănn-ānn, *bonsoir*, 晚安！
ouănn-chang, *soir, soirée*, 晚上
ouănn-fànn, *dîner (le)*, 晚饭
ouănn-pào, *journal du soir*, 晚报
ouèï !, *Allo !*, 喂
ouèï, *goût, saveur*, 味
ouèï, *estomac*, 胃
ouèï, *class. politesse*, 位
ouèï, *pour*, 为
ouèï-ch.`-k'ă, *carte Visa*, 维士卡
ouèï-chém-me, *pourquoi*, 为什麽
oueĭ-chēng-sòu, *vitamine*, 卫生素
ouèï-chēng-tch.ˇ, *papier hygiénique*, 卫生纸
ouēï-hsiĕnn, *danger, dangereux*, 危险
ouèï-hsīng, *satellite*, 卫星
ouèï-tjīng, *glutamate (sel)*, 味精
ouèï-tsào tchèng-tjiènn, *falsifier les papiers*, 伪造证件
ouénn-houà tà ké-mìng, *Grande Révolution Culturelle*, 文化大革命
ouénn-tchāng, *article*, 文章
ouénn-ts., *moustique*, 蚊子
ouènn-t'í, *question, problème*, 问题
ouŏ, *je, me, moi*, 我
ouŏ è le, *j'ai faim*, 我饿了
ouŏ k'ànn, *à mon avis*, 我看
ouŏ k'ĕ le, *j'ai soif*, 我渴了
ouŏ-menn, *nous*, 我们
ouŏ-mènn iào..., *nous voulons...*, 我们要
ouò-tch'ē, *wagon-lit*, 卧车

P

pā, *huit*, 八
Pā-hsī, *Brésil*, 巴西
pà le, *c'est assez, ça suffit*, 罢了
Pā-lí, *Paris*, 巴黎
páï, *blanc*, 白
păï-houò-kōng-s., *bazar, grand magasin*, 百货公司
păï-houò-tà-lóou, *grand magasin*, 百货大楼
păï ouànn, *million*, 百万
páï p'óu-t'ao-tjiŏou, *vin blanc*, 白葡萄酒
páï-t'áng, *sucre*, 白糖
pāng-tchou, *aider*, 帮助
pànn, *demi, moitié*, 半

pànn-kōng-ch.`, *bureau*, 办公室
pànn-kōng ch.´-tjiēnn, *heures de bureau*, 办公时间
páo, *mince*, 薄

pào-chouèï, *déclarer en douane*, 报税
pào-fēng-iǔ, *tempête*, 暴风雨
pào-iǔ, *averse, pluie battante*, 暴雨
pào-kào, *rapport (faire)*, 报告
pào-kào hsīnn-ouénn, *informations (les)*, 报告新闻
pāo-kouǒ, *paquet*, 包裹
pào-k'ānn, *presse, périodiques*, 报刊
páo-mǒu, *nurse, nourrice*, 保姆
pào-tch.ˇ, *journal*, 报纸
pào-tj'iěnn, *je regrette, s'excuser*, 抱歉
pāo-ts., *petit pain farci*, 包子
pēï, *tasse de…*, 杯
pèï, *dos*, 背
pěï-pienn, *nord*, 北边
Pěï-tà, *Université de Pékin*, 北大
Pěï-tjīng, *Pékin*, 北京
Pěï-tjīng-jénn, *Pékinois(e)*, 北京人
pèï-ts., *couverture*, 被子
pěnn, *class. des livres*, 本
pènn tànn, *idiot, imbécile*, 笨蛋
pǐ, *par rapport à, comparer*, 比
pì-hsu, *devoir (obligation)*, 必须
pì-iùnn ouánn, *pilule contraceptive*, 避孕丸
pì-iùnn t'ào, *préservatif*, 避孕套
Pǐ-lì-ch.ˊ, *Belgique*, 比利时
pǐ-lì-ch.ˊ fă-láng, franc belge, 比利时法郎**piǎo-kē**, *cousin aîné*, 表哥
piǎo-ké, *formulaire*, 表格
piǎo-tì, *cousin cadet*, 表弟
piáo-tjiě, *cousine aînée*, 表姐
pié-te, *autre chose*, 别的
piènn-fànn, *repas ordinaire*, 便饭
piénn-i, *bon marché*, 便宜
piènn-lòunn, *discuter, débattre*, 辩论
piènn-tjiè, *frontière*, 边界
piěnn-tòou, *lentille*, 扁豆
pìng, *malade, maladie*, 病
pīng-hsiāng, *réfrigérateur*, 冰箱
pīng-k'ouàï, *glaçon*, 冰块
pīng-tj'i-lín, *glace*, 冰淇淋
pìng-tou, *virus*, 病毒
pǐ-sàï, *match*, 比赛
pí-ts, *nez*, 鼻子
pō, *composer (sur un cadran)*, 拨
pō-fàng, *radiodiffuser*, 播放
pō-īnn-iuánn, *présentateur*, 播音员
pō líng, *composer le zéro*, 拨零
pó-òu-kouǎnn, *musée*, 博物馆
pó-po, *oncle (aîné du père)*, 伯伯
pó-ts., *cou*, 脖子
póu ch.ˋ, *ne pas être*, 不是
pòu chōu-fou, *ne pas se sentir bien*, 不舒服
pòu hǎo, *mauvais, mal*, 不好
pòu houā-tj'iénn, *resquiller*, 不花钱
pòu iuǎnn, *ce n'est pas loin*, 不远
póu tsàï tjiā, *absent de chez soi*, 不在家
póu ts'ouòr, *pas mal, bien*, 不错
pǒu, *raccommoder, repriser*, 补
pòu-hǎo-ì-s.ˉ, *gênant, embarrassant*, 不好意思

P'

p'á-chǒou, *pickpocket*, 扒手
p'áï-tjià, *cote, cours*, 牌价
p'áng-hsie, *crabe*, 螃蟹
p'áng-piēnn, *côté (à)*, 旁边
p'ánn-ts., *assiette*, 盘子
p'āo-máo, *jeter l'ancre*, 抛锚
p'éng-iǒou, *ami*, 朋友
p'í hsié, *chaussure en cuir*, 皮鞋
p'ī-léï, *coup de tonnerre*, 霹雷
p'í-tjiǒou, *bière*, 啤酒
p'í-tj'ióou, *ballon*, 皮球
p'í-ts., *cuir*, 皮子
p'iào, *billet, ticket*, 票
p'iào-fáng, *caisse, guichet*, 票房
p'iao-liang, *jolie*, 漂亮
pànn-fǎ, *moyen, méthode*, 办法
p'iēnn jénn, *rouler qqun*, 骗人
p'iènn-touànn kòu-ch.ˋ, *feuilleton*, 片段故事
p'iēnn-ts., *escroc, filou*, 骗子
p'iènn-ts., *film*, 片子
p'íng-kouǒ, *pomme*, 苹果
p'íng-ts., *bouteille*, 瓶子
p'īnn-īnn, *transcription* **pinyin**, 拼音
p'óu-t'ao, *raisin*, 葡萄
p'óu-t'áo-iá, *Portugal*, 葡萄牙
p'óu-t'ao tjiǒou, *vin*, 葡萄酒
p'ǒu-t'ōng-hsìnn, *lettre ordinaire*, 普通信

S

s.ˇ, *mourir*, 死
s.ˋ, *quatre*, 四
s.ˉ-tch'óou, *soie*, 丝绸
s.ˉ-tjī, *chauffeur*, 司机
sānn, *trois*, 三
sǎnn, *ombrelle, parapluie*, 伞
sānn-ch.ˊ, *trente*, 三十
sānn kouó iěnn-ì, *Roman des Trois Royaumes*, 三国演义
sānn-lóunn tch'ē, *tricycle*, 三轮车
sānn-míng-tch.ˋ, *sandwich*, 三明治
sānn pā tjié, *Fête internationle des*

femmes, 三八节.
sànn-pòu, *flâner, promener (se)*, 散步
sēnn-línn, *forêt*, 森林
sòng, *offrir, livrer*, 送
souànn, *calculer, compter*, 算
souànn là t'āng, *soupe pékinoise*, 酸辣汤
souànn le pa, *ça suffit ! ras-le-bol !*, 算了吧
souèï, *année d'âge*, 岁
sōunn-nŭ, *petite-fille*, 孙女
sōunn-ts., *petit-fils*, 孙子
souŏ, *fermer à clé*, 锁
souó-ĭ, *c'est pourquoi*, 所以

T

tă, *frapper, battre, faire*, 打
tà, *grand, gros, âgé (gens)*, 大
tá-chănn, *éclairs (faire)*, 打闪
tà-hòou-t'iēnn, *après après-demain, dans trois jours*, 大后天
tà-hsué, *université*, 大学
tà-hsué-cheng, *étudiant(e)*, 大学
taï, *porter (sur soi)*, 带
tă í ke tiènn-houà, *passer un coup de fil*, 打一个电话
tă-iú, *pêcher*, 打鱼
tá-jăo, *gêner, déranger*, 打搅
tà-jénn, *grande personne*, 大人
tà-kē-tà, *téléphone portable*, 大哥大
tă-k'āï, *allumer (appareil)*, 打开
tă-liè, *chasser*, 打猎
tà-lóou, *immeuble*, 大楼
tà-màï, *orge*, 大麦
tà-mĭ, *riz (plante)*, 大米
tă-souànn, *compter, avoir l'intention*, 打算
tà-tòou, *soja*, 大豆
tă-t'īng, *renseigner (se)*, 打听
tà-tjiā, *tout le monde*, 大家
tà-tjiē, *boulevard, avenue*, 大街
tă tchēnn, *faire une piqûre*, 打针
tă tiènn-houà, *téléphoner*, 打电话
tà tj'iénn-t'iēnn, *avant avant-hier, il y a trois jours*, 大前天
tă tj'ióou, *jouer (balle)*, 打球
tà ts.`-jánn, *la nature*, 大自然
tà-ts.`-pào, *journal mural*, 大字报
tă-ts'ouò le, *erreur de numéro*, 打错了
tāï, *séjourner, rester*, 呆
tann-chouèi-hou, *lac d'eau douce*, 淡水湖
tānn-jénn-fáng, *chambre à un lit*, 单人房
tànn-kāo, *gâteau*, 蛋糕
tāo, *couteau*, 刀
tào, *à, jusqu'à, arriver*, 到
tăo-ióou, *guide, mentor*, 导游
tào-lòu, *chemins, voies, routes*, 道路
tāo-tch'ā, *couvert*, 刀叉
tào-tjiào, *taoïsme*, 道教
te touō, *beaucoup plus (après un verbe)*, 得多
Té-kouo, *Allemagne*, 德国
tĕï, *devoir (en général)*, 得
tĕng, *attendre*, 等
tĕng, *classe (transport)*, 等
tēng-p'ao, *ampoule électrique*, 灯泡
Tèng Hsiăo-p'íng, *Deng Xiaoping*, 登小平
tì, *terre*, 地
tì-fāng, *endroit, lieu*, 地方
tĭ-p'iènn, *négatif*, 底片
tí-s.¯-k'è ŏu-t'īng, *disco*, 迪斯克舞厅
tì-tch.ˇ, *adresse*, 地址
tì-tchènn, *tremblement de terre*, 地震
tì-tì, *frère cadet*, 弟弟
tì-t'iĕ, *métro*, 地铁
tiĕnn, *point, heure*, 点
tiénn-houŏ, *allumer un feu*, 点火
tiĕnn, *allumer (lampe)*, 点
tiĕnn-hsīnn, *gâteaux, friandises*, 点心
tiĕnn ts'àï, *choisir, commander*, 点菜
tiènn-ch.`, *télévision*, 电视
tiènn-ch.`-tjī, *téléviseur*, 电视机
tiĕnn-chòu, *compter (les chiffres)*, 点数
tiènn-houà, *téléphone*, 电话
tiènn-houà hào-mă, *numéro de téléphone*, 电话号码
tiènn-houà hsiènn, *ligne téléphonique*, 电话线
tiènn-houà-pòu, *annuaire téléphonique*, 电话簿
tiènn-houà-t'īng, *cabine publique*, 电话亭
tiènn-hsùnn, *télécommunications*, 电讯
tiènn-ĭng, *cinéma, film*, 电影
tiènn-ĭng iuànn, *salle de cinéma*, 电影院
tiènn-năo, *ordinateur*, 电脑
tiènn-pào, *télégramme*, 电报
tiènn-tch'ē, *tramway*, 电车
tiènn-tch'ē-tchànn, *arrêt de trolleybus*, 电车站
tiènn-tch'ouánn, *télex*, 电传
tiènn-tēng, *lampe électrique*, 电灯
tiènn-ts. ióou-hsiāng, *adresse électronique, e-mail*, 电子邮箱

tiènn-t'i, *ascenseur*, 电梯
tìng, *commander, réserver*, 定
tìng fáng-tjiēnn, *réserver une chambre*, 定房间
tìng-hōunn, *fiancer (se)*, 定婚
tìng-houò, *commander, commande*, 定货
tiōou, *perdre (qqchose)*, 丢
tǒng, *comprendre*, 懂
tòng, *geler, être frigorifié*, 冻
tòng chǒou-chòu, *opérer*, 动手术
tōng-hsi, *choses*, 东西
tōng-pienn, *est (à l')*, 东边
tōng-t'iēnn, *hiver*, 冬天
tōou, *tout, tous*, 都
tòou, *haricot*, 豆
tòou-fou, *fromage de soja*, 豆腐
tòou-iá, *germes de soja*, 豆芽
tòu (ì-pǎï), *ASA (100)*, 度(一百)
tóu-ché, *serpent venimeux*, 毒蛇
tǒu le, *bouché*, 堵了
tóu-p'ǐnn, *drogue*, 毒品
tǒu-tch'ē, *embouteillage*, 堵车
tǒu-ts., *ventre*, 肚子
touǎnn-k'òu, *short*, 短裤
touānn-ǒu-tjié, *Fête des Bateaux-dragon*, 端午节
touèï, *équipe*, 队
touèï-fāng fòu-k'ouànn, *appeler en PCV*, 对方付款
touèï le, *juste, c'est juste*, 对了
touèï-ménn, *maison d'en face*, 对门
touèï-miènn, *en face*, 对面
touèï-pòu-tj'ǐ, *excusez-moi*, 对不起
tōunn, *tonne*, 吨
touō, *beaucoup*, 多
touó tch'áng ch.´-tjiēnn, *combien de temps*, 多长时间
touō-chǎo, *combien*, 多少
touō-chǎo tj'iénn ?, *combien ça coûte?*, 多少钱?

T'

t'ā, *elle, la, lui*, 她
t'ā, *il, lui, le*, 他
t'á, *pagode, tour*, 塔
t'áï, *chaîne (radio, télé)*, 台
t'àï, *trop*, 太
t'áï-fēng, *typhon*, 台风
t'àï-iáng, *soleil*, 太阳
t'àï-iáng-tjìng, *lunettes de soleil*, 太阳镜
t'àï kouèï le !, *c'est trop cher !*, 太贵了
t'àï-kouó, *Thaïlande*, 泰国.
t'àï-t'àï, *épouse, femme, madame*, 太太
t'ā-mā-te, *merde !, putain !*, 他妈的
t'ā-mènn, *elles, leur*, 她们
t'ā-mènn, *ils, eux, leur*, 他们
t'āng, *soupe, bouillon*, 汤
t'àng, *très chaud*, 烫
t'áng-ǐ, *chaise longue*, 躺椅
t'āng-tch'.´, *cuiller à soupe*, 汤匙
t'āng miènn, *soupe aux nouilles*, 汤面
t'áng-s'ōu-iú, *poisson sauce aigre-douce*, 糖醋鱼
t'ào fáng, *appartement*, 套房
t'éng, *souffrir, avoir mal*, 疼
t'í, *porter (à la main)*, 提
t'iào-ǒu, *danser*, 跳舞
t'iào-ǒu-t'īng, *dancing*, 跳舞厅
t'iè ióou-p'iào, *timbrer*, 贴邮票
t'iēnn, *jour*, 天
t'iēnn *ajouter*, 添
t'iénn, *champ, terre cultivée*, 田
T'iēnn-ānn-ménn, *Tian Anmen*, 天安门
t'iénn-hsiě, *remplir (formulaire)*, 填写
t'iēnn-jánn s.¯, *soie naturelle*, 天然丝
t'iénn-kouā, *melon*, 甜瓜
t'iēnn-k'ōng, *ciel*, 天空
t'iēnn-tì, *Empereur du Ciel*, 天帝
t'iènn-tj'ì-iù-pào, *prévisions météo*, 天气预报
t'īng, *écouter*, 听
t'īng-tchòng, *auditeur, auditoire*, 听众
t'íng-tch'ē, *garer (se)*, 停车
t'íng-tch'ē-tch'ǎng, *parking, garage*, 停车场
t'óng, *cuivre, bronze*, 铜
t'óng-ch.`, *collègue*, 同事
t'ōng-hsùnn-chè, *agence de presse*, 通讯社
t'ōng-hsùnn-iuánn, *reporter (un)*, 通讯员
t'óng-ì, *d'accord (être)*, 同意
t'óng-tch.`, *camarade (sert d'appellation commune)*, 同志
t'ōng-tch.¯, *communiquer, avertir*, 通知
t'óou, *tête*, 头
t'ōou, *voler*, 偷
t'óou-iūnn, *vertige (avoir des)*, 头晕
t'ǒu, *vomir*, 吐
t'ǒu-hsiě, *cracher du sang*, 吐血
t'ǒu-tòou, *pommes de terre*, 土豆
t'ǒu-tòou-ní, *purée*, 土豆泥
t'ǒu-t'ánn, *cracher*, 吐痰
t'ouánn-t'ǐ-p'iào, *billet de groupe*, 团体票
t'ouěï, *jambe, pied*, 腿

t'ouō, *ôter*, 脱
t'ouō ī-fou, *déshabiller (se)*, 脱衣服

TCH

tch.¯-tào, *savoir, être au courant*, 知道
tch.¯-p'iào, *chèque*, 支票
tch.´-iuánn, *employé (d'une entreprise)*, 职员
tch.´-nŭ, *nièce*, 侄女
tch.´-pănn, *carton*, 纸板
tch.´-ts., *neveu*, 侄子
tch.ˇ, *seulement*, 只
tch.`-hăo, *guérir qqun*, 治好**tchā-tchēnn**, *traiter par acupuncture*, 扎针
tchàng-fou, *mari, époux*, 丈夫
tchāng-láng, *cafard*, 蟑螂
tchànn, *gare, station*, 站
tchánn-lănn-houèï, *exposition*, 展览会
tchànn-t'áï, *quai, plate-forme*, 站台
tchăo tj'iénn, *rendre la monnaie*, 找钱
tchăo, *chercher, aller chercher (qqun), prendre qqun*, 找
tchào-hsiàng, *prendre des photos*, 照相
tchaò-p'iènn, *photo*, 照片
tchèï, tchè, *celui-ci, ce...ci, ceci, ça*
tchèï-iàng, *ainsi, de cette façon-ci*, 这样
tchèï-li, tchèr, *ici*, 这里, 这儿
tchèm-me, *autant*, 这麽
tchēnn, *injection, piqûre*, 针
tchēnn, *vraiment*, 真
tchēnn-s.¯, *soie pure*, 真丝
tchēnn-tchèng, *authentique*, 真正
tchĕnn-t'óou, *oreiller, traversin*, 枕头
tchèng, *gagner, avoir comme revenu*, 挣
tchèng, *justement, juste*, 正
tchèng-tjiènn, *papiers d'identité*, 证件
tchèng-tj'uànn tjiāo-ì-souŏ, *bourse (des valeurs)*, 证券交易所
tchōng, *horloge*, 钟
tchŏng, *sorte de*, 种
tchòng, *lourd*, 重
Tchōng-ī, *médecine chinoise*, 中医
Tchōng-kouó-houà, *langue chinoise*, 中国话
Tchōng-kouó ts'àï, *cuisine chinoise*, 中国菜
Tchōng-kouó jénn, *Chinois(e)*, 中国人
Tchōng-kouó, *Chine*, 中国
tchòng nióou-tòou, *vacciner*, 种牛痘
tchōng-ouénn, *chinois (langue)*, 中文
tchōng-tj'iōou-tjié, *Fête de la mi-automne*, 中秋节
tchōng-ts'ānn, *repas chinois*, 中餐
tchōou-k'ānn, *hebdomadaire*, 周刊
tchòu, *habiter*, 住
tchòu-fáng, *pièce*, 住房
tchōu jòou, *porc (viande de)*, 猪肉
tchouō-ts., *table, bureau*, 桌子

TCH'

tch'.¯ fànn, *manger*, 吃饭
tch'.¯ păo le, *rassasié*, 吃饱了
tch'.´-tào, *retard (être en)*, 迟到
tch'.´-t'áng, *étang, bassin, mare*, 池塘
tch'á, *fourchette*, 叉
tch'á, *thé*, 茶
tch'à, *moins*, 差
tch'á-kouănn, *maisons de thé*, 茶馆
tch'á-p'iào, *contrôler les billets*, 查票
tch'ā-t'óou, *prise de courant*, 插头
tch'áng, *long*, 长
tch'ăng, *séance*, 场
tch'áng ch.´-tjiēnn, *longtemps (durée)*, 长时间
tch'àng-kē, *chanter*, 唱歌
tch'áng-t'óu tiènn-houà, *appel interurbain*, 长途电话
tch'áng-tch'áng, *souvent*, 常常
Tch'áng Tch'éng, *Grande Muraille*, 长城
tch'ăo, *bruyant*, 吵
tch'áo, *marée*, 潮
tch'áo-ch.¯, *humide*, 潮湿
tch'áo-hsiēnn, *Corée*, 朝鲜
tch'āo-p'iào, *billet de banque*, 钞票
tch'éng-ch.`, *ville*, 城市
tch'éng-iŭ, *proverbe*, 成语
tch'éng-k'è, *voyageur, passager*, 乘客
tch'énn-mò, *couler*, 沉没
tch'énn-t'ŏu, *poussière*, 尘土
tch'.ˇ-ts'ùnn, *dimension, taille*, 尺寸
tch'ōng, *développer (photo)*, 冲
tch'óng, *insecte*, 虫
tch'ōng-chouĕï, *chasse d'eau*, 冲水
tch'ōou-iēnn, *fumer*, 抽烟
tch'ōu, *sortir*, 出去
tch'ōu-chēng tchèng, *carte d'identité*, 出生证
tch'ōu-fā, *partir*, 出发
tch'óu-fáng, *cuisine*, 厨房
tchŏu-ì, *idée*, 主意
tch'ōu-pănn ts.`-ióou, *liberté de la presse*, 出版自由
tch'ōu-tsōu-tj'ì-tch'ē, *taxi*, 出租汽车
tch'ouáng, *lit*, 床
tch'ouāng-hòu, *fenêtre*, 窗户
tch'ouáng-tānn, *drap de lit*, 床单
tch'ouānn, *enfiler*, 穿

tch'ouánn, *bateau, navire*, 船
tch'ouānn ī-fou, *habiller (s')*, 穿衣服
tch'ouánn-p'iào, *billet de bateau*, 船票
tch'ouánn-tchēnn, *fax*, 传真
tch'ouánn-ts'āng, *cabine, soute*, 船舱
tch'ōunn-tjié, *Fête du Nouvel An, Fête du Printemps*, 春节
tch'ōunn-tjuànn, *rouleau de printemps*, 春卷
tch'ōunn-t'iēnn, *printemps*, 春天

TJ

tjī, *poulet*, 鸡
tjĭ, *combien, quelques*, 几
tjì, *envoyer*, 寄
tjĭ iuè ?, *en quel mois?*, 几月
tjī-ouěï-tjiŏou, *cocktail*, 鸡尾酒
tjì-souànn-tjī, *calculatrice*, 计算机
tjī-tànn, *oeuf (de poule)*, 鸡蛋
tjí tiěnn tchōng, *quelle heure est-il ?*, 几点钟
tjì-tchě, *journaliste*, 记者
tjì-tchě tchāo-tàï-houèï, *conférence de presse*, 记者招待会
tjī-tch'ăng-chouèï, *taxe d'aéroport*, 机场税
tjì-tch'éng-piăo, *compteur*, 计程表
tjí-tjiènn, *express*, 急件
tjì-tjiènn-jénn, *expéditeur*, 寄件人
tjī-tōu tjiào, *christianisme*, 基督教
tjiá-ăo, *veste doublée*, 夹袄
tjiā-ióou tchànn, *station d'essence*, 加油站
tjiā-li, , 家里
tjià-mòu-piăo, *tarif*, 价目表
Tjiā-ná-tá, *Canada*, 加拿达
tjiă-p'iào, *fausse monnaie*, 假票
tjiā-tjù, *meuble, mobilier*, 家具
tjiā-t'ing, *famille*, 家庭
tjiāng, *rivière, fleuve*, 江
tjiăng-hsué-tjīnn, *bourse d'études*, 奖学金
tjiàng-ióou, *huile de soja*, 酱油
tjiàng-louó, *atterrir*, 降落
t'ăo-tjià houánn-tjià, *marchander*, 讨价还价
tjiăo, *pied*, 脚
tjiào, *(s') appeler, réveiller*, 叫
tjiāo-chouěï, *colle*, 胶水
tjiāo-pòu, *ruban adhésif*, 胶布
tjiāo-tjuànn, *pellicule*, 胶卷
tjiāo-tj'ū, *banlieue*, 郊区
tjiào-t'áng, *église*, 教堂
tjiăo-ts., *raviolis*, 饺子
tjiē, *décrocher, répondre*, 接
tjiē, *rue*, 街
tjiè, *emprunter, prêter*, 借
tjiè-chao, *présenter (qqun)*, 介绍
tjiě-chŏou, *aller aux toilettes*, 解手
tjié-hōunn, *marier (se)*, 结婚
tjiē-hsiènn, *obtenir la ligne*, 接线
tjié-mòu, *programme, émission*, 节目
tjiè-tch., *anneau, bague*, 戒指
tjié-tchàng, **souànn-tchàng**, *addition*, 结帐，算帐
tjiē tiènn-houà, *communication*, 接电话
tjiě-tòng, *dégeler, fondre*, 解冻
tjiē-t'ōng, *ligne téléphonique (avoir la)*, 接通
tj'ié-ts., *aubergine*, 茄子
tjiènn, *class. des événements, des vêtements*, 件
tjiènn, *voir*, 见
tjiénn-houà-ts.`, *caractères simplifiés*, 简化字
tjiènn-ì, *conseiller, proposer*, 建议
tjiènn-k'āng, *bonne santé*, 健康
Tjiěnn-p'ŏu-tchài, *Cambodge*, 柬埔寨
tjiěnn-tāo, *ciseaux*, 剪刀
tjiěnn-tjià, *solder, soldes*, 减价
tjìnn (tj'u), *entrer*, 进去
tjīnn, *livre (poids)*, 斤
tjìnn, *près*, 很近
tjīnn-niénn, *cette année*, 今年
tjìnn-tch.ˇ, *interdit*, 禁止
tjìnn-tch.ˇ hsī-iēnn, *interdit de fumer*, 禁止吸烟
tjīnn-ts. te, *en or*, 金子的
tjīnn-t'iènn, *aujourd'hui*, 今
tjīng-li, *directeur*, 经理
tjīng-tjù, *opéra de Pékin*, 京剧
tjiòou-chēng-tch'ouánn, *bateau de sauvetage*, 救生船
tjiŏou, *alcool*, 酒
tjiŏou, *neuf (chiffre)*, 九
tjiŏou, *longtemps*, 久
tjiòou-chēng-tj'uānn, *bouée de sauvetage*, 救生圈
tjiòou-hòu-tch'ē, *ambulance*, 救护车
tjiŏou-pa, *bar*, 酒巴
tjiòou-tjiòou, *oncle maternel*, 舅舅
tjú-tchăng, *chef de bureau*, 局长
tjú-ts., *mandarine*, 橘子
tjú-ts.-chouěï, *jus d'orange*, 橘子水

TJ'

tj'ī, *sept*, 七
tj'ì, *énergie vitale*, 气

tj'ĭ-chēnn, *mettre en route (se)*,
tj'ì-chouĕï, *limonade*, 汽水
tj'ĭ-fēï, *décoller (avion)*, 起飞
tj'ìhou, *climat*, 气候
tj'ì-ióou, *essence*, 汽油
tj'í-p'áo, *robe chinoise*, 旗袍
tj'ì-tch'ē, *automobile, voiture*, 汽车
tj'ĭ-tch'ouáng, *lever (du lit) (se)*, 起床
tj'ì-tch'ouánn, *bateau à vapeur*, 汽船
tj'ī-ts., *femme, épouse*, 妻子
tj'í ts.`-hsíng-tch'ē, *monter à vélo*, 骑自行车
tj'iáo, *pont*, 桥
tj'iēnn, *mille*, 千
tj'iénn, *argent (monnaie)*, 钱
tj'iènn, *devoir qqchose à qqun*, 欠
tj'iénn-miènn, *devant*, 前面
tj'iēnn-pĭ, *crayon*, 铅笔
tj'iénn-pì, *pièce de monnaie*, 钱币
tj'iénn-t'iēnn, *avant-hier*, 前天
tj'iēnn (ts.`), *signer*, 签字
tj'īnn-tj'i, *parent (en général)*, 亲戚
tj'īng, *ciel clair, sans nuages*, 晴
tj'īng, *léger*, 轻
tj'ĭng, *prier de, svp*, 请
tj'īng-míng-tjié, *Fête des morts*, 清明节
tj'ĭng-ouènn, *s'il vous plaît (demande de renseignement)*, 请问
Tj'īng-tăo p'í-tjiŏou, *bière de Ts'ing-tao*, 青岛啤酒
tj'īng-tch'ou, *clair*, 清楚
tj'īng-t'iēnn, *journée ensoleillée*, 晴天
tj'ióou-ménn, *but, goal*, 球门
tj'iōou-t'iēnn, *automne*, 秋天
tj'ŭ, *prendre, aller chercher (qqchose)*, 取
tj'ù, *aller*, 去
tj'ŭ-hsiāo tiènn-houà, *annuler un appel*, 取消电话
tj'ù k'ànn-hsì, *aller au spectacle*, 去看戏
tj'ù-niènn, *année dernière*, 去年
tj'únn-ts., *jupe*, 裙子

TS

ts.ˇ, *violet*, 紫
ts.`, *caractère d'écriture*, 字
ts.`-hsíng-tch'ē, *bicyclette*, 自行车
ts.`-láï-chouĕï-pĭ, *stylo à plume*, 自来水笔
tsàï, *en train de*, 在
tsàï, *trouver à (se), à*, 在
tsàï, *encore, de nouveau, re-*, 再
tsàï-tjiènn, *au revoir*, 再见 !
tsá-tjì, *cirque*, 杂技
tsāng, *sale*, 脏
tsāo, *mauvais, gâté, pourri*, 糟
tsăo, *tôt*, 早
tsăo-chang, *matin*, 早上
tsăo-fànn, *petit-déjeuner*, 早饭
tsăo-p'énn, *baignoire*, 澡盆
tsá-tch.`, *revue, périodique*, 杂志
tsĕm-me, *comment*, 怎麽
tsĕm-me-iàng, *comment (être)*, 怎麽样
tsĕm-me pànn, *que faire ?*, 怎麽办
tsĕm-me tsŏou ?, *comment va-t-on ?*, 怎么走?
tsŏng-tjīng-lĭ, *directeur général*, 总经理
tsŏou hòou-mén, *se faire pistonner*, 走后门
tsŏou-lòu, *marcher, faire route*, 走路
tsŏou-s.¯, *contrebande*, 走私
tsōu, *louer*, 租
tsŏu-fòu, *grand-père*, 祖父
tsóu-mŏu, *grand-mère*, 祖母
tsóu-tj'ióou, *football*, 足球
tsóu-tj'ióou-sàï, *match de football*, 足球赛
tsóu-tj'ióou-tch'ăng, *terrain de football*, 足球场
tsóu-tj'ióou-touèï, *équipe de football*, 足球队
tsouò, *asseoir (s'), prendre (transport)*, 坐
tsouèï, *bouche*, 嘴
tsouèï, *plus*, 最
tsouèï-hăo, *mieux*, 最好
tsouò, *s'asseoir, prendre (véhicule)*, 坐
tsouò, **kànn**, *faire*, 做, 干
tsouò-liào, *condiments, sauce*, 作料
tsouò-ouèï, *place, siège*, 座位
tsouŏ-pienn, *gauche (à)*, 左边
tsouó-t'iēnn, *hier*, 昨天

TS'

ts'.`, *piquer*, 刺
ts'.`, *fois*, 次
ts'ā hsiāng-tch.¯, *mettre de la crème*, 擦香指
ts'àï, *plats, légumes*, 菜
ts'àitānn, **ts'àitār**, *carte (restaurant)*, 菜单(儿).
s'ăï-fāng, *interviewer*, 采访
ts'àï-tānn, *menu (le)*, 菜单
ts'ăï-tiènn, *télé couleur*, 彩电
ts'āng-íng, *mouche*, 苍蝇

ts'ānn-kouānn, *visiter*, 参观
ts'ānn-tch'ē, *wagon-restaurant*, 餐车
ts'ānn-tjīnn tch.ˇ, *serviette en papier*, 餐巾纸
ts'ānn-t'īng, *restaurant (d'un hôtel), cantine*, 餐厅
ts'āo nǐ ma de, *fils de pute, connard*,
ts'ǎo-tì, *prairie, pré*, 草地
ts'éng, *étage*, 层
ts'è-souǒ, *toilettes*, 厕所
ts'óng, *de, depuis*, 从
ts'óng-lái, *jamais (+ négation)*, 从来
ts'óng-tj'iénn, *autrefois*, 从前
ts'ōu, *vinaigre*, 醋
ts'ōunn-ts., *village*, 村子
ts'ouò le, *faux, inexact*, 错了

INDEX

INDEX GRAMMATICAL

10000, **ouànn**, 74
absence de sujet, 58
action habituelle, 64
action ponctuelle future, 64
action précise passée, 64
actions simultanées, 84
actions successives, 84
adjectif, 12, 44
adjectifs démonstratifs : **tchèï**, **nèï**, 28, 52
bǐ, comparer, 76
ch.`, *être*, 8
changements de ton de **ī**, *un*, 43
changements de ton, 39, 43
chiffres, 15, 40, 59
chouéï, *qui*, 51
classificateurs, 12, 86
combien, 32
comparatifs, 76
complément de degré, 60
devoir, 72
donner, 28
écriture chinoise : les chiffres de un à dix, 37
en devant un verbe, 28
être à, 20
èr et **liăng**., 68
formes négatives, 44, 56
futur immédiat, 64
hái *encore*, 76
hěnn, *très*, 44
houèï, *savoir faire*, 60
hsiăng, *penser à qqun ou qqchose* , 28
ī, *un*, 28
í-hsià, *un coup, une fois*, 80
ì tiěnn, *un peu*, 60, 76
ì, *cent millions*, 75
iào, *falloir, devoir, vouloir*, 28, 64
interrogation alternative, 28, 40, 56, 68
iǒou, *avoir*, 12, 16
iòng, *avec, au moyen de*, 48
iòng, utiliser, 48
iuè láï iuè, *de plus en plus*, 76
īng-kāï, *devoir*, 72
īnn-oueï, *parce que*, 56
k'é-ǐ, *pouvoir*, 60
kěï, *donner, à*, 28 32
kēnn, *avec*, 40, 76
kouo, passé d'expérience, 68
le, particule, 16, 20, 36, 52, 56, 84
líng, zéro, 59
ma, particule, 12, 24, 28
měï, *chaque*, 80
méï iǒou, *ne pas y avoir*, 12, 16, 56, 68, 76
nă, **něï**, *quel, lequel*, 50, 51, 52
năr, **nă-li**, *où*, 20
nà, **nèï**, *ce...-là*, 50, 51, 52
ne, *donc*, 20
négation de **ch.`**, *être*, 8
négation du passé, 48, 64
néng, *pouvoir*, 60
nèï, *ce...-là*, 51
nínn, pronom de politesse, 8
nombre de fois, 68
non, 16
omission du nom après **te**., 52
on en chinois, 58
pa, impératif, 72
particule grammaticale **te**, 48; 80
passé immédiat, 64
pǎi, *cent*, 59
pànn *moitié, demi*, 36
phrases sans verbe, 32
piènn, *fois*, 68
pì-hsū, *devoir*, 72
pluriel des pronoms, 8
pouvoir, 60
póu ch.` ...te, 48
pòu huèï, *ne pas pouvoir*, 60
póu iào, *il ne faut pas, on ne doit pas*, 72
pòu, négation, 6, 39, 40
pòu hěnn, pas très, 44
pòu īng-kāï, *pas la peine de*, 72
pòu néng, *ne pas pouvoir*, 60
póu t'àï, *pas trop*, 44
póu xiàng, *ne pas ressembler*, 76
principaux classificateurs, 81
pronoms personnels, 8
re-, 48
récapitulation phonétique, 42
redoublements, 80
réponses, 16
souó-ǐ, *c'est pourquoi*, 56
suffixe **le**, 64
suffixe **tche**, 84
superlatif absolu, 76
syllabes atones, 23, *voir aussi* ton léger
t'àï, *trop*, 44
tào, *jusqu'à*, 20, 24
tchè, **tchèi**, *ce...-ci*, 50, 52

tchèï ke *celui-ci* et **nèï ke** *celui-là*, 48
tchèng tsàï, juste en train de, 64
te hěnn, *très*, 44
te tuō, *beaucoup plus*, 76
te, complément du nom, 20, 72
temps en chinois, 64, 84
tĕï, *devoir*, 72
tj'iēnn *mille*, 59
tj'ì, *courant d'énergie*, 113
tjiòou, *aussitôt, dès que*, 84
tjĭ, *combien, quelques*, 32, 60
tons, 11, 23
touó tch'áng ch.´-tjiēnn, *pendant combien de temps*, 32
touó tjiŏou le, *combien de temps*, 32
touō-chăo, *combien*, 32
transcription française, 6
ts'ăï, *seulement, ne...que...*, 84
ts'óng de, depuis, 24
tsàï, en train, 64
tsàï, ensuite, alors, 84
tsàï, se trouver, être à, 20, 24
tsĕm-me, *comment*, 48
tsĕm-me-iàng, *être comment*, 48
tsouò, *s'asseoir, en*, 40
y avoir, 16

INDEX THÉMATIQUE

acupuncture, 119
adresse, 53
alcools, 95
anecdotes, 71
autobus, 103
bière, 95
boissons, 95
Bouddhisme, 115
boussole (invention de la), 125
canard laqué de Pékin, 97
Caractères simplifiés et non-simpifiés, 47
chiffres, 15, 40, 59
chiffres supérieurs à 10000, 74, 75
Chine des Minorités, 87
circuler en ville, 103
clefs, 13
Confucianisme, 115
couleurs, 99
cuisine chinoise, 97
cuisines locales, 97
cyclo-pousse, 103
date, 61, 65
demander son chemin, 21
Deng Xiaoping, 63, 109
dynasties chinoises, 77
écriture chinoise, 13, 29, 41
éléments des caractères, 13
envoyer un paquet, 111
Étranger (en Chine), 89
fêtes, 121
géomancie, 113
heure, 36
idéogrammes, 57
idéophonogrammes, 57
imprimerie (invention de l'), 125
injures, 82, 83
inventions chinoises, 84, 125
Islam, 115
jeux de mots, 67
jours proches, 49
laque, 125
localisation, 25
Mao Zedong, 109
médecine, 119
moments de la journée, 49
monnaie, 33
mots chinois en français, 91
mots de temps et de lieu, 16, 36
nombres, 74, 75
noms de parenté, 123
noms de pays, 69
noms et prénoms, 73
noms étrangers en chinois, 117
opéra de Pékin, 105
papier (invention du), 125
paquet, 111
pharmacopée, 119
pictogrammes, 57
pluriel des pronoms, 8
politesse, 93
pollution, 107
porcelaine, 125
poste, 111
poudre (invention de la), 125
proverbes, 66,70
provinces de Chine, 87
religions, 115
repas chinois et repas occidental, 93
signes du zodiaque chinois, 101
soie, 125
soirée en Chine, 105
système numérique, 74, 75
taoïsme, 115
taxi, 103
thé, 95

tj'ì, *courant d'énergie vitale*, 113
tourisme, 85
types de caractères chinois. 57
vélo, 103
visite en Chine, 85
vocabulaire (structure). 7, 17
yin et yang,113. 119

Tableau de correspondance
Transcription "tout de suite" -transcription "pinyin"

les sons semblables au français ne sont pas annotés

Initiales

TDS	pinyin	équivalent
p	**b**	[*p*]
p'	**p**	[*p* expiré]
m	**m**	
f	**f**	
t	**d**	[*t*]
t'	**t**	[*t* expiré]
n	**n**	
l	**l**	
ts	**z**	[*ts*]
ts'	**c**	[*ts* expiré]
s	**s**	
tj	**j**	[*ts* / *tch*]
tj'	**q**	[*tj* expiré]
hs	**x**	[*s* /*ch*]
tch	**zh**	[*tch*]
tch'	**ch**	[*tch* expiré]
ch	**sh**	[*ch*]
j	**r**	[*j*]
k	**g**	[*k*]
k'	**k**	[*k* expiré]
h	**h**	[âc*r* e]

Finales

TDS	pinyin	équivalent
a	**a**	[p*a*tte]
e	**e**	[m*eu*rt]
o	**o**	[p*o*t]
i	**i, yi**	
ou	**u, w**	[c*ou*]
u	**u, ü, y**	[l*u*ne]
aï	**ai**	[*aille*]
eï	**ei**	[*eille*]
. (point)	**-i**	[*e* faible]
ao	**ao**	[*a*+*o*]
oou	**ou**	[*o*+*ou*]
ann	**an**	[p*anne*]
enn	**en**	[*haine*]
ang	**ang**	
eng	**eng**	[*eugne*]
ong	**ong**	
ia	**ia, ya**	
ie	**ie, ye**	[*iè*]
iao	**iao, yao**	[*i*+*a*+*o*]
ioou	**iu, you**	[*i*+*o*+*ou*]
ienn	**ian, yan**	[m*ienne*]
inn	**in, yin**	[m*ine*]
iang	**iang, yang**	
ing	**ing, ying**	
iong	**iong, yong**	
oua	**ua, wa**	[*ou*+*a*]
ouo	**uo, wo**	[*ou*+*o*]
ouaï	**uai, wai**	[*ouaille*]
oueï	**ui, wei**	[*ou*+*eille*]
ouann	**uan, wan**	[*ou*+*anne*]
ouenn	**wen**	[c*ouenne*]
ounn	**un**	
ouang	**uang, wang**	
ue	**ue**	[*huée*]
uann	**uan**	[*u*+*anne*]
unn	**un**	[*une*]
iu	**yu**	[*i*+*u*]
iue	**yue**	[*i*+*huée*]
iuann	**yuan**	[*i*+*uanne*]
iunn	**yun**	[*i*+*une*]

NB. En **pinyin**, **y** et **w** ne servent qu'à noter le début de syllabe.

Cet ouvrage a été composé par Michel Désirat

ISBN : 2-266-09949-3

Achevé d'imprimer en janvier 2000 par Maury Imprimeur S.A.
Division Eurolivres – 45300 Manchecourt
N° d'impression : A00/77221 C
Dépôt légal : janvier 2000